JN247443

THE STORIES OF THE KOSOADO WOODS

ミュージカルスパイス

岡田 淳

理論社

・・・出演者たち

ハニーとシュガー

ふたりはふたご。森の湖の島にすんでいる。おかしのようなものばかり食べ、いつも遊んでいるようにみえる。

動きのはやい踊りがとくい。ふたりは声もそっくりなので、いっしょにしゃべったりうたったりすると、ふしぎなひびきあいがうまれる。

スキッパー

博物学者のバーバさんと、こそあどの森でくらしているが、バーバさんはしょっちゅう旅にでている。

本を読んだり、星をみたり、貝や化石をながめたりするのが好き。

ひととしゃべるのはとくいではない。もちろん、ひとの前でうたったことなど、いちどもない。

スミレさん

ハーブのせわをしたり、詩を読んだりするのが好き。字を読んだり書いたりするときは、めがねをかける。どういうわけか、しゃべるとひにくっぽいことをいってしまうことがある。女の人としては低い声の持ち主。

ギーコさん

スミレさんの弟。大工さん。スミレさんといっしょにガラスびんの家にすんでいる。

ふだんはあまりしゃべらない。しずかにひとの話をきくことのほうが多い。歌声はなめらかで、高い声もきれいにでる。

・・・出演者たち

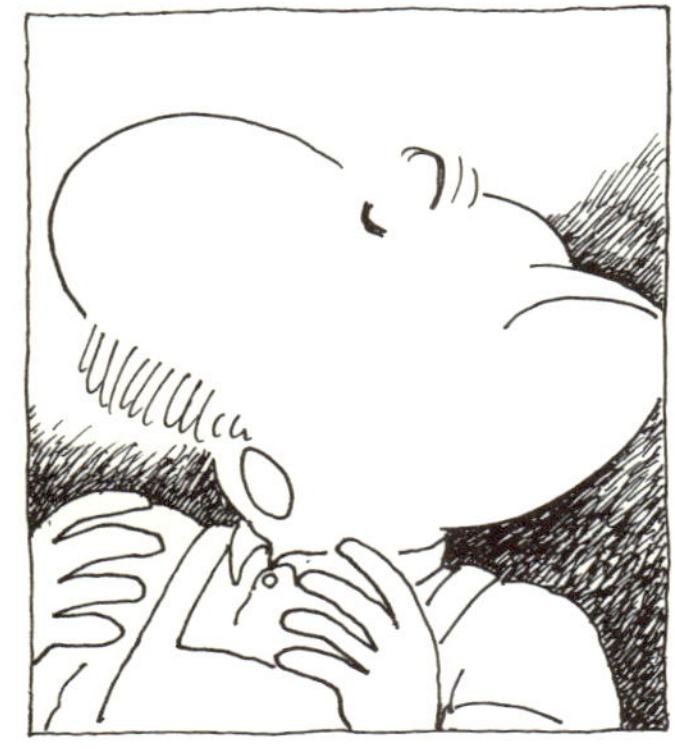

トマトさんとポットさん

夫婦。ふたりはとてもなかがいい。トマトさんはきゅうに思いついて「キスして」という。トマトさんはポットさんよりずっと大きいので、そのたびにポットさんはなにかによじのぼらなければならない。トマトさんの歌声はやわらかく高い音が美しい。語りかけるようなポットさんの歌もききのがせない。

ドーモさん

こそあどの森にいちばん近い町の郵便局につとめている。といっても、こそあどの森に配達にやってくるのは一日がかりの仕事。趣味はお芝居をみにいくことで、歌も好き。よく鼻歌をうたっている。

ホタルギツネ

すべては、なぞである。

トワイエさん

作家(さっか)。大きな木の上の屋根裏部屋(やねうらべや)にすんでいる。そのまえにギーコさんとスミレさんのガラスびんの家に下宿(げしゅく)していた。

トワイエさんがどのような物語を書いているのか、いままでずっとわからなかったが、今回(こんかい)それがあきらかになる。

もくじ

ひとつめの話

すてきなミュージカル　スパイス

絵☆岡田　淳

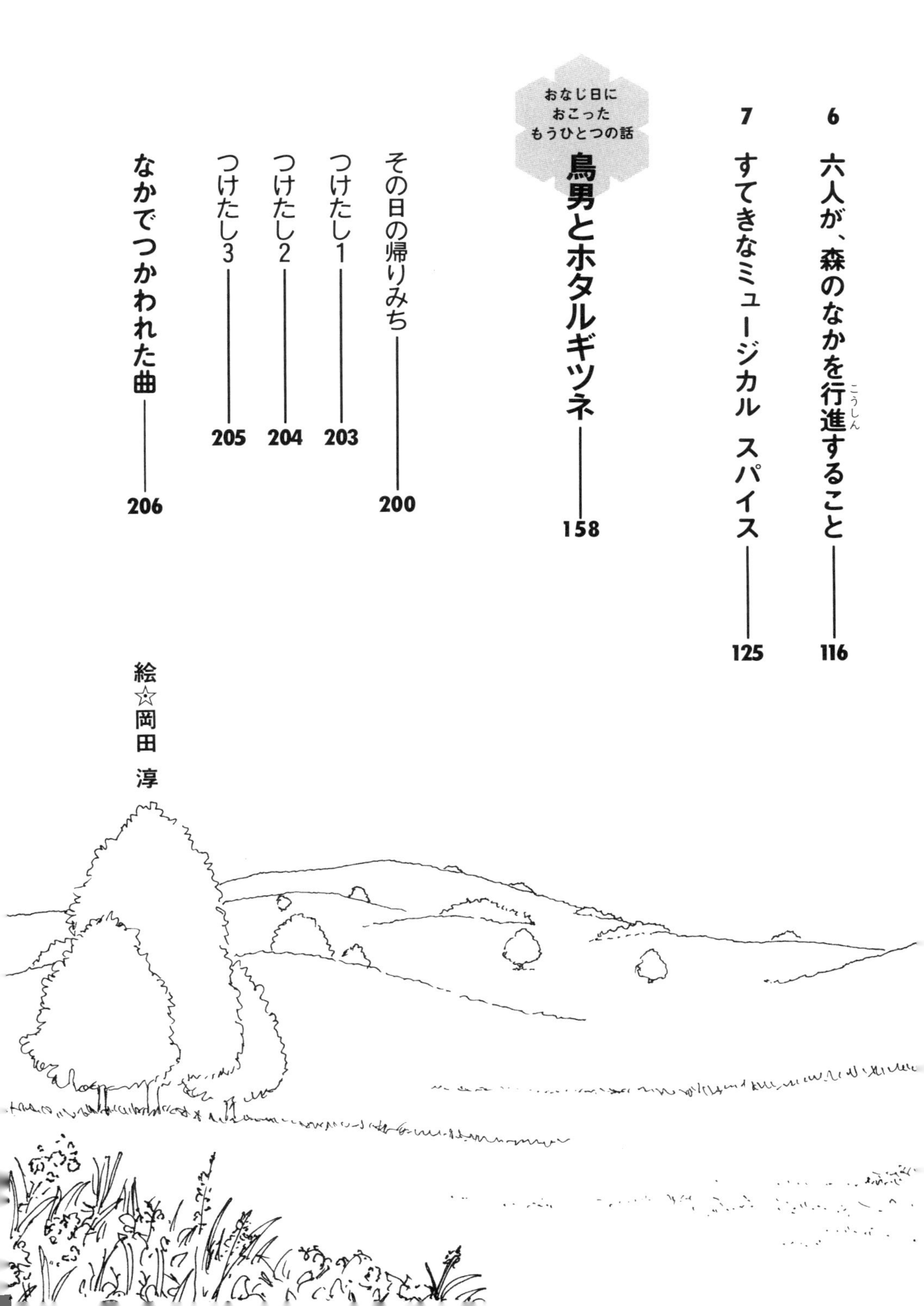

ひとつめの話

すてきなミュージカル　スパイス

1

どこでお茶（ちゃ）をごちそうになるか　ドーモさんがなやむこと

なだらかに続く丘を、郵便配達のドーモさんが、鼻歌をうたいながら歩いていました。こそあどの森へいくところです。肩からかけたカバンのなかには、スキッパーに配達する手紙と、お昼に食べるサンドイッチがはいっています。

いくつもの丘を、ゆるやかにのぼり、ゆるやかにくだり、ようやくこそあどの森がみえる丘の上にでました。

そこでたちどまったドーモさんは、やわらかい草の上に腰をおろしました。

「こうしてぼくがすわりこんだのをみると、ははあ、遠くの町からやってきて疲れたんだな、と思うでしょ？」

まわりにはだれもいないのに、ドーモさんはそういいました。これはドーモさんの秘密のたのしみです。ときどき、ひとりでおしゃべりをしてみたくなるのです。

「ところがそうではありません」

そこにはいない観客にむかって、片手を左右にふってみせました。

「このあたりでちょいと景色をみるのもたのしいかな、と思ったから、ぼくはこうしてすわってみたのです」

そういってひとつうなずくと、まわりをみわたしました。

「いい景色じゃありませんか。この丘をおりていくと森がはじまる。六月の森。緑が濃い。むこうには湖がみえる。そして山」

どこかで鳥が鳴いています。

「そして鳥」

と、ドーモさんは続けました。鳴き声に耳をすましていると、目の前を羽のある虫が飛んで横切りました。

「そして虫」

きもちのいい風が草をゆらしていきます。

「そして草」

そこまでいって首をひねりました。鳥、虫、草といういいかたが気にいらなかったのです。観客のためには、もっとはっきりした名前をいいたいものだと思いました。

——そしてクロツグミが鳴き、ナナホシテントウが飛び、足もとには、ツユクサがゆれ……。

といったふうに、です。

「ぼくは、鳥や虫や草の名前なんて、ほんとうに知らないんだよな」

ドーモさんは、いままでとはちがう調子でつぶやいて、足もとの草をながめました。

「こうしてしみじみながめると、この草だって、うまれてはじめてみる草のように思えてくるものな」

それはつる草で、細くそった葉と、星型の実がついていました。きっとこの草もいままでにみたことがあるはずです。けれど、みればみるほど、こんな草はいままでにみたことがないと思えてくるのです。

ドーモさんは肩をすくめました。

「いいよ、草の名前なんか知らなくても。ぼくには友だちがいるもんな」

そういいながら思い浮かべたのは、ポットさんのことでした。ドーモさんがこそあどの森へいくときは、たいていポットさんとトマトさんの家へよることにしています。するときっとお茶をごちそうしてくれます。そしてかならずクッキーかなにかもだしてくれるのです。

「さて、いくか」

ポットさんたちのことを思い出して、ドーモさんは立ちあがりました。お茶とクッキーのことを思い出して、といったほうがよかったかもしれません。

丘をくだって森にはいると、六月の森のにおいがしました。この季節にはときどき雨がふるので、森のなかは、緑と水のまざった、ひんやりしっとりとした空気になるのです。

ドーモさんは、ひんやりしっとりとした空気のなかで、また声をだしてみたくなりました。

「もうじきポットさんとトマトさんの家がみえてきますが、それは湯わかしの家と呼ばれているんです。というのも、みなさん、その家は湯わかしを半分土にうずめた形をしているからなんですよ」

みなさん、というところはうしろをふりかえっていいました。

「さて、こうしてぼくが歩いていくと、もしもあのふたりが家にいるときは、ぼくの鼻歌をききつけて、ふたりそろってドアをあけて待っていたりしますね。

――やあ、ドーモさん、元気だったかい。

――まあ、ドーモさん、ひさしぶりね。

ポットさんはひっぱるように、トマトさんはかかえるように、ぼくを家のなかに案内するんですね。

――いや、ぼくはスキッパーのところへ手紙をもっていくところなんだよ。

――だからといって、ここでお茶を飲まないってことにはならないだろう。

――そうよ、ドーモさん、わたしのつくったクッキーは食べられないっていうの？

――いやいや、あ、これは、こまったなあ。え？　そうですか？　どうしても？

じゃあちょっとだけね。

と、まあこういうふうに……」

　そこまでおしゃべりしたところで、湯わかしの家がみえてきました。そろそろおしゃべりはやめて、歌にしたほうがよさそうです。ポットさんとトマトさんは歌に気づいて、ドアをあけてドーモさんをでむかえることになっているからです。

　そこで、この森にくるときはいつもうたってしまう、自分でつくった歌をうたうことにしました。

「♪この森でもなければ
　その森でもない
　あの森でもなければ
　どの森でもない
　こそあどの森　こそあどの森
　こそあどの森　こそあどの森」

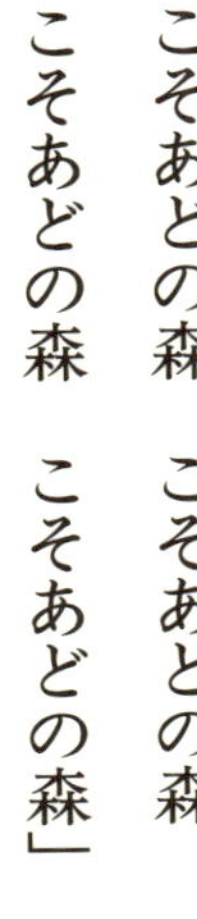

三回くりかえして、おかしいなと思いました。もうすぐ家の前なのに、だれも出てこないのです。しかたがないので、四回めをうたいはじめました。その後半はドアの前に立ってうたうことになってしまいました。とちゅうでやめるのはいやだったのです。でも、ドアの前でうたい続けるのは、ほとんど「こんにちは、こんにちは」といい続けるような気分でした。それなのに、四回めがおわっても、だれも出てきません。

これはきっとるすだな、それでも声だけはかけておくか、そう思って声をはりあげました。

「どうも！　おるすですか？」

そのときになって、やっとドアがひらきました。ポットさんがあけたのです。ポットさんは、

「やあ」

とだけいいました。ポットさんのうしろのほうに、すこしはなれて、トマトさんがぬっと立っていました。

「ひさしぶりね」

トマトさんはその場から動かず、くちびるのはしだけでほほえみました。

なんだか調子がくるうなあ、とドーモさんは思いました。もっと陽気にぽんぽんとことばがでてくるはずだったからです。

「トマトさんに……？」

「ポットさんに……？」

ポットさんとトマトさんが同時にドーモさんにいいかけて、ことばをきり、顔をみあわせかけて、目をそらしました。

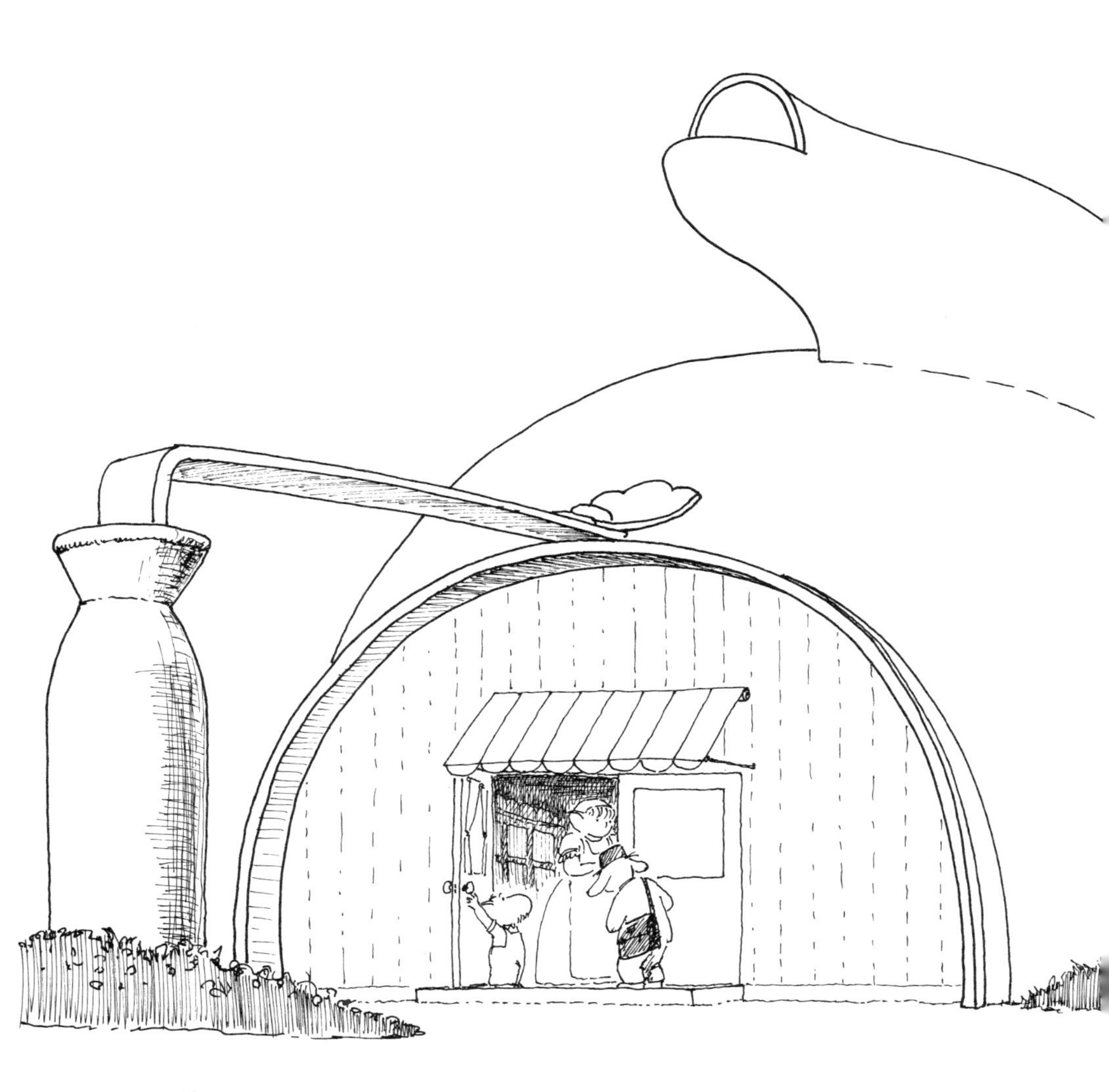

「トマトさんに、なんだって？」

ドーモさんはポットさんにたずねました。

「いや、トマトさんに、だれかから手紙かなと思ったんだよ」

「ポットさんに、なんだって？」

つぎにトマトさんにたずねました。

「ポットさんに手紙でもきたのかしらって思ったのよ」

「残念でした、どちらもはずれです。スキッパーに手紙なんだよ」

「ああ、スキッパーに……」

といったあとで、ポットさんはきゅうに思いついたようにいいました。

「じゃあ、ついていってやろう」

「そうかい、ありがとう」

うなずきながらドーモさんは、頭のなかで計画をたてなおしました。

——ということは、きょうは、まず手紙をもっていって、そのあとここにもどってお茶になるんだ。それでもいいや。それでもいいけど、なんか変だぞ。変だぞと思ったら、ドーモさんはもう口にしていました。

「トマトさん！　なにかわすれてるでしょ！」

「え？　なにを……」

「ほら、ポットさんがついていってやろうなんていうと、『まあ、あなたって親切！　キスして』って、ほら、いつだって……」

ドーモさんはしゃべりおわらないうちに、ポットさんにくるりとからだのむきをかえられて、おもてにむかっておされて歩きだしていました。

「え？　ちょいと、ポットさん……」

「さあいこう、さあいこう」

ポットさんはドーモさんの腕をかかえてどんどん歩きます。家を出て、うしろでトマトさんがドアをしめる音がきこえてから、やっと歩調をゆるめ、大きなためいきをつきました。

とつぜんドーモさんがたちどまりました。

「ポットさん、もしかすると、トマトさんとうまくいっていないんじゃ……！」

ポットさんは、ドーモさんの顔をみて、もういちどためいきをつきました。

「いまごろ気づくなよ」

「だって……、だって、きみたちって、とってもなかよしじゃないか。それがどうして……、原因はなんなの？　ぼくにできることなら……」

「ありがとう。でも、どうしようもないんだ」

「どうしようもない！　そんなばかなことがあるもんか！」

ドーモさんの大声が、湯わかしの家まできこえないかと、ポットさんはふりかえりました。

はっと自分の口をおさえたドーモさんは、ちいさい声でもういちどいいました。

「どうしようもない。そんなばかなことがあるもんか」

ポットさんは左右に首をふってからゆっくり歩きだしました。ドーモさんが追いついて横を歩きました。

「そんなのって気分が沈むだろ」

「ああ、気分が沈む」

「話しあってみたのかい?」

「だれと?」

「きまってるじゃないか。トマトさんとだよ」

「いいや」

「どうして。話しあえば問題がはっきりするじゃないか」

「問題がはっきりすればいいとはかぎらないだろ」

「ええ？　そりゃどういうことだい？」

ポットさんはだまったたまま、首を左右にふりました。そして、こんどはポットさんがきゅうにたちどまりました。

「ドーモさん、わるいけれどぼくは用があったんだ。このあたりで道をそれるよ」

「え？」ドーモさんは、ポットさんの顔をみなおしました。「ぼく、なにか、気をわるくさせたかい？」

「いや、そうじゃないんだ。はじめからこうするつもりでついていくっていったんだ。でかけるっていいにくかったんだよ、トマトさんに。湯わかしの家には一時間くらいでもどるから、よければあとでよってくれよ。じゃ」

ポットさんは、スキッパーの家にむかう道からそれ、森の奥へはいっていってしまいました。ドーモさんは、ぽかんとポットさんをみおくりました。

「（いや、これはおどろきましたね）」

やっと気をとりなおしたドーモさんは、みえない観客に肩をすくめてみせました。

ポットさんにきこえないように、
ささやき声にしています。
「(あのなかよし夫婦が、うまくいっていない!
いったいなにがあったんでしょうね。
あんなに元気のないふたりをみたのは、
はじめてですよ)」
首をひとつひねってから、ドーモさんは
スキッパーの家にむかって歩きはじめました。
スキッパーの家というのは、ほんとうは博物学者のバーバさんとスキッパーの家
です。でも、バーバさんはしょっちゅう旅にでています。いまも旅行中で、ドーモ
さんは、旅先のバーバさんからの手紙をスキッパーにとどけにきたのです。
スキッパーがすんでいる家は、ウニマルと呼ばれています。ずんぐりとした船に、
とげがいっぱいあるウニをのせたような形をしているからです。

ウニマルのスキッパーのことを思い浮かべると、ドーモさんは「うーむ」と、うなりました。無口なスキッパーが苦手だったのです。

「問題は、どこでお茶を飲むか、だ。……そりゃあスキッパーだって、たのめばお茶くらいだしてくれるよ。でもスキッパーがだまってまゆをよせている前でサンドイッチを食べるのかい？」

ドーモさんは首をひねりました。

「それとも、一時間ほど時間をつぶして、もういちど湯わかしの家へよるってのはどうだろ？　そして気まずいふたりの前でサンドイッチを食べる……。うーむ」

こんどは反対側に首をひねりました。

「まてよ。バーバさんからの手紙に、スキッパーが返事を書くってのはどうだ？そうするとお茶だけいれてもらって、スキッパーはむこうで返事を書く。ぼくはこっちでサンドイッチを食べる。うん。これがいい」

大きくうなずいて、ドーモさんはウニマルのある広場にでていきました。

2

バーバさんからの手紙を
スキッパーが読むこと

ウニマルの、広間から書斎へいく階段にすわりこんで、スキッパーは目をとじていました。手にちいさな棒をにぎっています。それは折れた木の枝です。と、スキッパーの耳がぴくりと動いて、まゆがよりました。よくきこえる耳が、ウニマルにやってくるだれかの足音をきいてしまったのです。

目をあけて、ちいさく息をはき、立ちあがりました。広間のテーブルにそっと木の枝をおきました。そして、甲板に続く階段をのぼりはじめたとき、ウニマルの外から大きな声がきこえました。

「どうも！　スキッパー！　手紙だよ！」

ドアをあけて甲板に出ると、船べりにドーモさんの胸から上がみえました。はしごをそこまでのぼってきて、手紙を差し出しています。

——ありがとうございます。

そういって頭をさげたつもりです。口は動いたのですが、声がでていないのは、自分でもわかりました。

それでもきもちは通じたらしく、ドーモさんは、うんうん、とうなずいてくれました。

スキッパーは、しばらくいっしょにいてなれてくると、たいていのひととは、かなりふつうにしゃべることができます。けれどひさしぶりのひとがとつぜんあらわれたりすると、声がでにくくなってしまうのです。

手紙を受けとったスキッパーに、ドーモさんはにっこり笑っていいました。

「ぼくはこのあたりでやすんでいるからさ、その手紙を読んでみなよ。で、もしも返事を書くんだったら、待っているから、そういっておくれよ。いや、ぜんぜんへいきなんだから」

こんなことをいってくれるのは、こそあどの森のように、郵便局から遠いところにすんでいるひとには、ほんとうにありがたいことです。スキッパーにもそれはわかりました。ですから、もういちど口を動かして、頭をさげました。でも、だれかに待たれて手紙を読むというのは、おちつかないな、とも思いました。

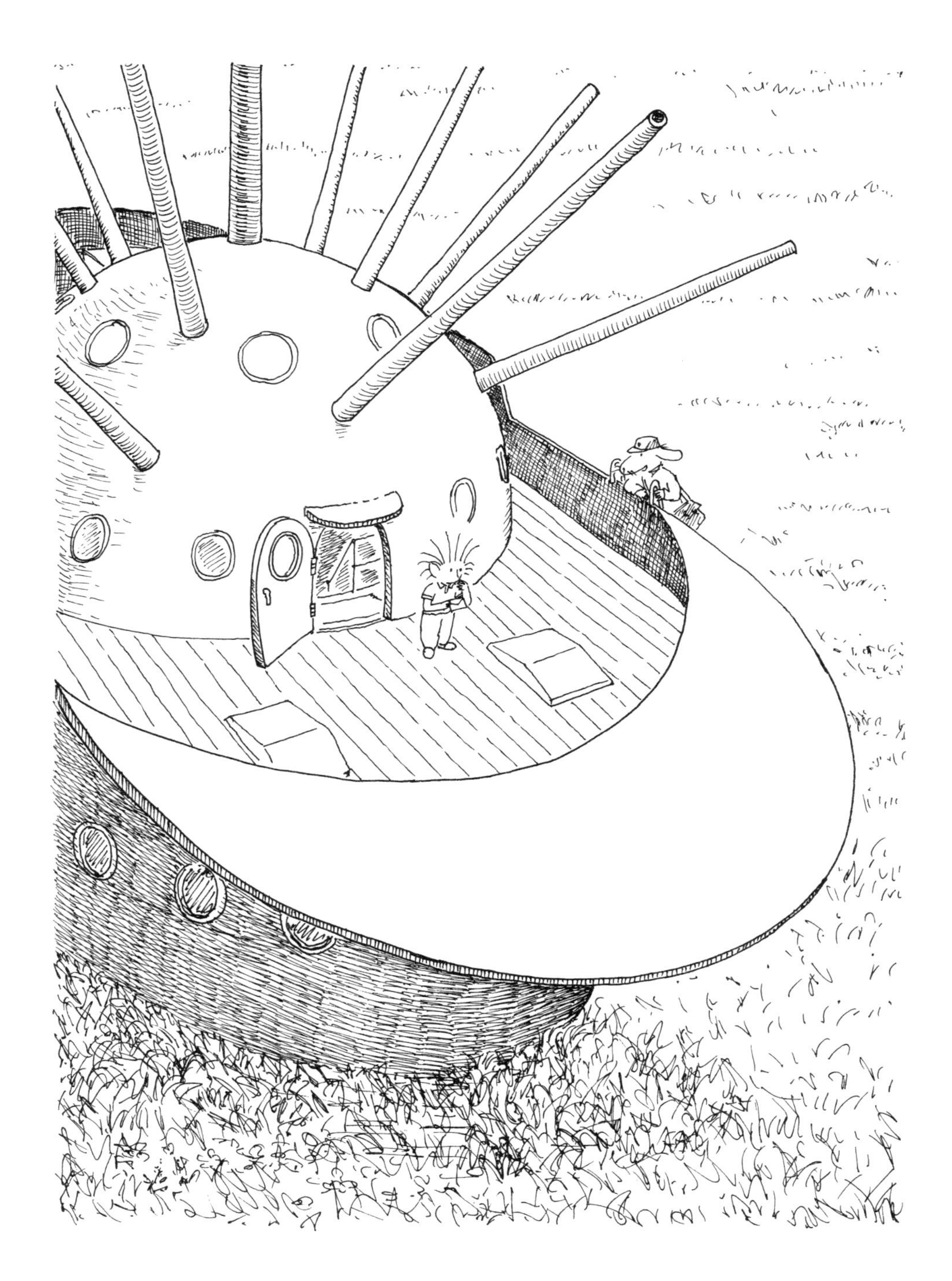

ドーモさんはむこうむきになって、ウニマルの船べりに背をもたせ、はしごの段に腰をおろしました。まわりの木々をながめて待っているつもりのようです。スキッパーはいったん広間にもどりました。そしてペーパーナイフで封を切ると、バーバさんからの手紙をとりだしました。

スキッパー、元気ですか？　わたしは元気です。すばらしいことがおこりました。この島で、カタカズラの花がみつかったのです。あの、めったに咲かないといわれている、カタカズラの花が。

あなたは知らないでしょう、スキッパー。どんな図鑑にもでていません。伝説の植物と思われていたからです。こんな花です。

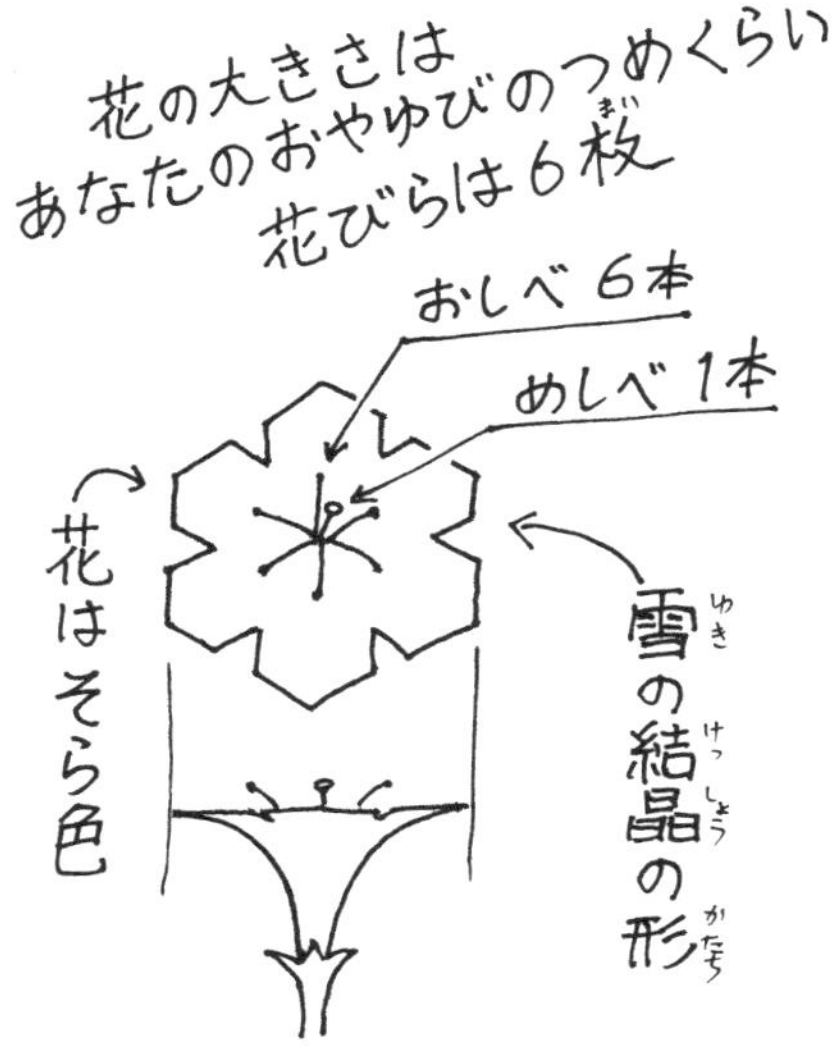

NO. 1

花の大きさは
あなたのおやゆびのつめくらい
花びらは6枚

おしべ 6本
めしべ 1本
花はそら色
雪の結晶の形

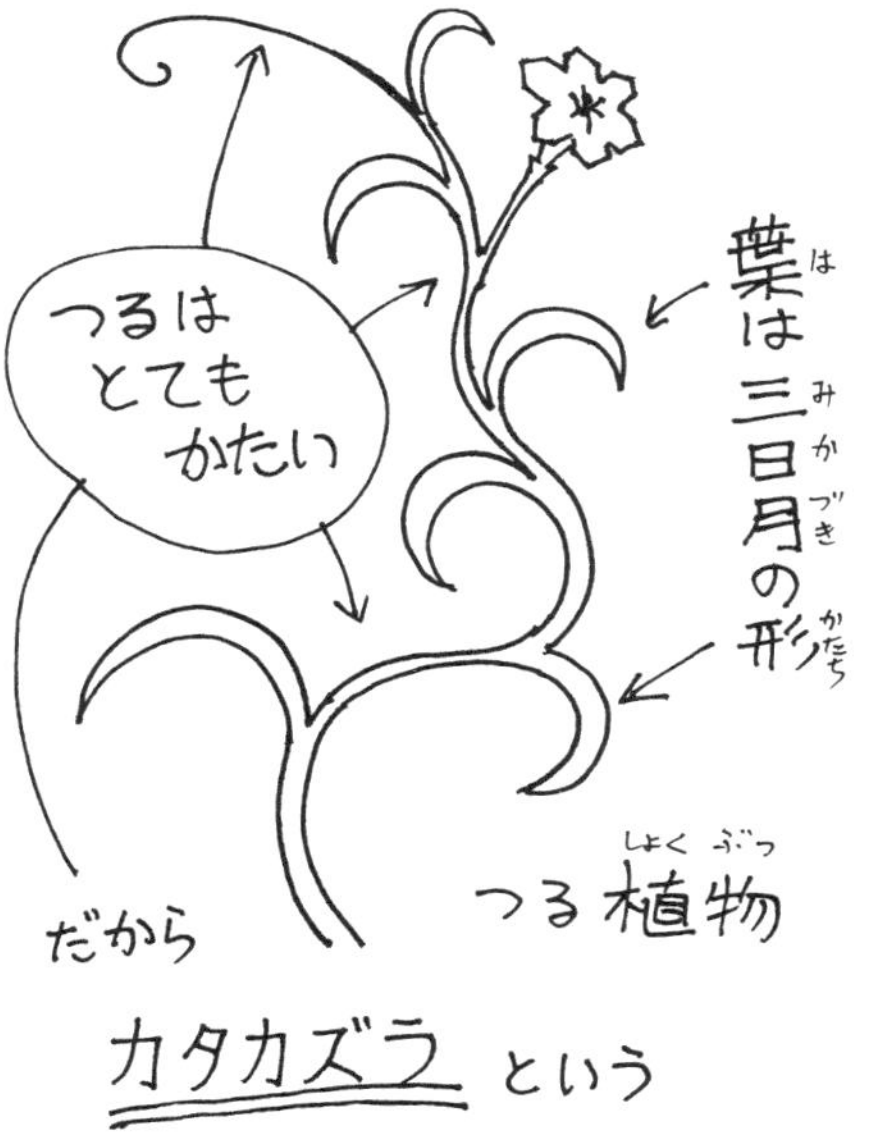

つるは
とても
かたい
だから
カタカズラという

葉は三日月の形
つる植物

花はやがて実になります。図のように、花は雪の結晶の形の六角形ですが、実は星の形(☆)の五角形だということです。それから実は、コーヒーのような匂いがするのだそうです。

島のひとたちは、カタカズラの実を粉にして、飲みものや食べものにふりかけるスパイスをつくります。このスパイスは、飲んだり食べたりするもののおいしさをひきたて、からだにもいいということです。けれどふしぎなのはここからです。このスパイスの名を、ミュージカル　スパイスというのです。（歌や踊りがいっぱいあるお芝居を、ミュージカルというのは、知っているでしょう？）なぜそんな名前なのかというと、このスパイスをふりかけたものを飲んだり食べたりしたひとは、ミュージカルをはじめてしまうのだそうです。つまり、お芝居のようにしゃべったり、うたったり、おどったりしてしまう、というのです。

　この花が咲いて実がなると、もう島はお祭りになってしまうと、島の長老にききました。これをみのがすわけにはいきません。そういうわけで、旅はもうすこし　ながびきます。

　それから、スキッパー、あなたにたのみたいことがあります。

　ギーコさんのところへいって、標本箱をふたつつくってもらってください。前につくってもらったのと同じものを　おねがいしたいのです。

NO. 2

では、元気でね。晴れた日には、毛布と枕をほすのを わすれないよう。
あなたのことを 思いながら。

シアター島 パレス亭
五月二十三日 バーバより

カタカズラのふしぎさに心をうばわれて、スキッパーは三回も手紙を読みました。

それから、ドーモさんが待っていることを、はっと思い出しました。

あわてて甲板に出ていくと、はしごにすわって林をみていたドーモさんがふりかえって、にっこり笑いました。

「どう？ 返事、書く？」

なんだかドーモさんは、返事を書いてもらいたがっているようでした。スキッパーとしては、この手紙には返事はいらないなと思っていたのですが、はっきりそう

いってしまうと、ドーモさんにわるいような気がしてきて、

「うー、あー」

と、こたえてしまいました。へんなこたえかたですが、さっきとちがって声はでました。すこしなれてきたのです。

「書くの？」

ドーモさんが、また笑顔でたずねます。スキッパーはつばをのみこみました。

「あのう……」やっとことばがでました。「バーバさんからの手紙で、ふしぎな草が、花を咲かせたんだって……」

どんな手紙か話せば、返事がいらないことに気づいてもらえるかもしれません。

「うんうん、それで？」

「だから……、旅が、ながびくって……」

ドーモさんがすこし空をみたのは、花が咲けばどうして旅がながびくのかわからなかったからですが、それはどうでもいいことにしました。

「それから？」

「ええっと……、ギーコさんに、標本箱をつくってもらうように、たのめって……」

「なるほど、それで？」

「それで……、おしまい」

「おしまい？　思ったよりもみじかい手紙だったんだなあ。で、返事は？」

スキッパーはこまりました。目をぱちぱちさせて、

「うー」

と、いいました。

ここでようやくドーモさんは、どうやらスキッパーは返事を書きたいとは思っていないようだと、気づきました。そこで、

「あー」

と、いいました。いいながら思い浮かんだのは、お茶なしで食べるサンドイッチです。けれどそのつぎにすばらしいアイデアが浮かびました。

「スキッパー！　いっしょに、ギーコさんのところへいこう！」

きょとんとしているスキッパーに、ドーモさんは説明しました。

「きみはバーバさんにたのまれた、そのなに、標本箱だっけ、それをギーコさんにつくってくれといいにいかなきゃいけない。ね。ギーコさんがつくってくれればそれでいいよ。でも、ギーコさんのつごうがわるいとか、材料がないとかすれば、これは返事を書かなきゃならない。ね？　それに、きみは書かないでもいいと思っているかもしれないけれど、ギーコさんが返事を書きたいかもしれないじゃないか。だったら、ぼくもいかなくちゃいけない。さあ、スキッパー、ギーコさんのところへいこう」

「う、うん……」

ドーモさんのいきおいに、スキッパーは思わずうなずいてしまいました。

ドーモさんは口にはだしませんでしたが、心のなかで続きをつぶやきました。

――ギーコさんのところで、お茶をもらおう！

3

ギーコさんとスミレさんがいつもとちがうこと

ウニマルからギーコさんの家までは、森のなかの道を三十分ばかり歩かなければなりません。

はじめの五分、ドーモさんはスキッパーにあれこれと話しかけ続けました。

いつもなにを食べたり飲んだりしているのか、そのなかで好きなのはなにか、そのほかの時間はなにをしているのか、たいくつじゃないか、こわくはないか、雨の日はなにをしているのか、ポットさんとトマトさんのことでなにか気がついたことはないか……などです。

スキッパーが、「あー」「うーん」「えーっと……」「いやあ……」「さあ……」などと返事をしていると、そのうちにドーモさんは話しかけなくなりました。スキッパーは、こたえるのがいやでそんな返事をしていたのではありません。こたえを考えているうちに、ドーモさんがもうつぎの質問をしてくるので、こたえられないのです。

ドーモさんがたずねなくなってから、スキッパーは、さっきの質問のこたえをどんどん思いつきました。もういちど同じことをたずねてくれればいっぱいこたえられるのになあ、と思っても、ドーモさんはもうたずねてはくれませんでした。あ、そうだ、ぼくのほうからたずねてもいいんだ、と気づきました。郵便の仕事ってどんなことをするのか、たずねてみよう。そう思ったとき、あとの二十五分がおわっていて、もうガラスびんの家の、空気抜きとえんとつがみえていました。スキッパーはそっとためいきをつきました。

丘のふもとに埋まった大きなガラスびんが、大工のギーコさんと、ギーコさんのお姉さんのスミレさんの家です。

川があって木がとぎれると、ガラスびんの家の、ツタのはう大きな窓がみえました。ところが、その窓の下に、なにか白っぽいかたまりがあります。すぐにわかりました。そこにふたごがうずくまっていたのです。

ふたごは、湖の島にすむ女の子たちです。そのふたりがガラスの窓に顔をくっつけるようにして、家のなかをのぞいています。

ドーモさんとスキッパーは、顔をみあわせました。いったいなにをしているのでしょう。

橋を渡ってスキッパーたちが近づいても、のぞきこむのに熱中しているふたごは気がつきません。

「エヘン」

ドーモさんがせきばらいをしました。びくっとして、ふたごがふりむきました。いままで笑っていたようにみえました。

「きみたち。ひとの家のなかをのぞきこむのは、けっしていい趣味とは……」

ドーモさんにおしまいまでいわせませんでした。ふたごは、ドーモさんとスキッパーをひっぱってしゃがませ、ガラス窓のなかをのぞかせました。

ガラス窓は、遠くからみていると、明るい外の景色がうつるばかりで、なかのようすはみえません。けれどふたごがしているように、ガラスにぴったりくっつくと、なかのようすがみえました。手で顔のよこをかこむようにして光をさえぎってのぞきこめば、もっとはっきりみえました。

「おいおい、ぼくたちにものぞかせるなんて、そんなことを……」

ドーモさんの声がだんだんちいさくなって消えました。

うす青いガラスごしに、すこしゆがんでみえる部屋のなかのギーコさんとスミレさんは、スキッパーの知っているふたりとは、ずいぶんようすがちがっていました。

ドーモさんが、うなるようにいいました。

「あのふたりは……、なにをしているんだ」

スキッパーもそう思いました。

スミレさんは両手をあげて、くつで床をうちながら、くるくるとまわっています。ギーコさんはスキップしながら、階段をのぼったりおりたりしていました。そしてふたりは、いつになく、とても、とても、うれしそうな顔で口をぱくぱくとさせていました。

とつぜん階段のとちゅうでギーコさんが足をとめると、両手を空中にひろげなが

ら、ジェスチャーたっぷりになにかをしゃべりはじめました。スキッパーはみとれてしまいました。いつものギーコさんのぼそぼそとした話しかたではありません。手のしぐさにあわせてまゆが動き、目玉が動き、口がはげしく動きます。話のおわりでは、わざとおどけたように目をむいてみせました。

ぷっとふきだすふたごにつられて、スキッパーもドーモさんも、思わず笑ってしまいました。笑ったあとでドーモさんは、ひとの家をこっそりのぞくのはよくないことだと思ったようでした。笑ったのをごまかすみたいにふたごにたずねました。

「あれはいったいなにをしているんだ」

「しらない、しらない」

「ぜんぜん、しらない」

ふたごは、おさえきれない笑いにひきつりながら、頭を左右にふりました。

「なにをしているのかわからんが、とにかくなかにはいろう」

ドーモさんがスキッパーにいうのをきいて、すかさずふたごが笑うのをやめて立ちあがりました。

「わたしたちもいく」

「いっしょにいく」

なんのために？　という目で、ドーモさんはふたごをみました。が、ふたごはもう、ドーモさんとスキッパーのとなりにぴたりとならんで、うなずきあっていました。

入り口へまわって、ドーモさんが声をはりあげました。

「どうも！　ギーコさん！　スミレさん！」

ふたりは出てきません。ドアをノックしました。それでも出てきません。

ドーモさんは、そっとドアをあけました。あけたとたんに、ギーコさんの声がきこえてきました。

「……というのがわからない。これはまったくどうしたことだろう。口と舌がかってに動きまわり、つぎつぎにことばをつむぎだしてしまう」

階段の中ほどでギーコさんがそこまでしゃべると、スミレさんが間をおかずにあとをひきつぎました。

「まあ、ことばをつむぎだすだなんて、ふだんのギーコさんににあわないそのおっしゃりよう」

ガラスごしにみて想像していたよりも、ずっと大きい声でふたりはしゃべっていました。まるで四百人の観客にきかせるように、です。

スミレさんは、続けました。

「ふだんのあなたときたら、口が無いのかと思うほど、ことばどおりの無口なのに、きょうのあなたはしゃべりすぎ。ムクチはムクチでも六つも口があるほどおしゃべりっていう六口だわ」

「それは姉さん、あんまりだ。しゃべらない、しゃべらないとふだんはぼくをけなすのに、すこししゃべるとこんどはしゃべりすぎだというんだから。それはあまりにわがままというもの」

話のなかみは相手をわるくいっていますが、ふたりの表情としゃべりかたは、ことばのやりとりをたのしんでいるようだとスキッパーは思いました。

　ギーコさんとスミレさんは、四人に気がつきました。四人はべつにしのびこもうとしていたわけではありませんが、目があうと、びくっとしてしまいました。

「あのう、どうも……」

　ギーコさんはドーモさんがあいさつをしようとするのを両手でおしとどめました。そしてめったにみられない笑顔をうかべ、さっと階段の手すりにとびのってすべりおりると、そのいきおいで四人のところにかけより、さらににっこりうなずきました。

「これはいいところにきてくれた」

「といいますと……?」

　思わずあとずさりしようとするドーモさんの腕を、ギーコさんはやさしくとりました。

　そしてスキッパーがびっくりぎょうてんするようなことになりました。なんと、ギーコさんが、とつぜんうたいだしたのです。

「♪きいてください　このひとのことを」

ギーコさんはスミレさんを指さしました。スミレさんは「なんのこと？」といいました。

「♪このひとときたら　ほんとにわがまま」

スミレさんは「そうかしら」といいました。

うたいながらギーコさんは、ダンスのような足どりでドーモさんをひっぱりはじめました。

「♪思いついたら　庭しごと
**　朝から晩まで　庭しごと」**

「おい、おい、ギーコさん……」

ドーモさんは、なんといえばよいのかわかりません。スキッパーも、目をまるくして、口をぽかんとあけるばかりでした。なにしろ、あの無愛想そのもののギーコさんが、表情たっぷりにうたっているのです。

「♪ごはんも食べずに　庭しごと
　きのうもあしたも　庭しごと」

ひっぱっていったドーモさんを、椅子にすわらせ、ギーコさんはその椅子のまわりを一周しながらうたいました。

「♪ほかのしごとは　ほったらかして
　つかれきるまで　庭しごと」

するとそこまで腕ぐみしてきいていたスミレさんが、スキッパーとふたごのほうに、あごで拍子をとりながら進みだしてきました。スキッパーは逃げだそうかと思いましたが、ふたごがたのしそうにしているので、逃げるのはやめました。スミレさんは、いまギーコさんがうたったのと同じふしで、うたいはじめました。

「♪きいてちょうだい　このひとのことを」

スミレさんは、ギーコさんのほうへひらりと手をむけました。ギーコさんは、さっきのスミレさんと同じタイミングで「なんのこと?」といいました。

「♪どんなきもちか　わからない」

「そうかなあ」ギーコさんが腕をくみます。

スミレさんはスキッパーの手をとり（そのときスキッパーは、びくっとしてしまいました）、ドーモさんの椅子のとなりの長椅子にさそいながらうたいました。

「♪返事といえば　うなずくだけ
　おはようおやすみ　うなずくだけ」

うなずくだけ、のところは、ギーコさんのまねでしょう、そっけない表情で、うなずいてみせます。

「♪いただきますも　うなずくだけ
　ごちそうさまも　うなずくだけ」

長椅子にすわらされたスキッパーは、長椅子のまわりをおどりながらまわるスミレさんをながめました。

「♪ほかの返事は　できないものか

なんでもかんでも　うなずくだけ」

おしまいの、うなずくだけ、のところは、目の前に立っているギーコさんにうなずいてみせました。それにぴたりとあわせて、ギーコさんが目をむいてうなずくと、こんどはギーコさんの歌になりました。

「♪きいてください　このひとのことを　（スミレさん「なんのこと？」）
　このひとときたら　ほんとにわがまま　（スミレさん「そうかしら」）
　思いついたら　本を読む
　朝から晩まで　本を読む」

本を読む、のところでギーコさんは、本のページをめくるかっこうをしてみせました。

「♪ごはんも食べずに　本を読む
　きのうもあしたも　本を読む
　ほかのしごとは　ほったらかしで

つかれきるまで　本を読む」

うたいながらギーコさんは、ふたごの背をおすようにして、スキッパーのとなりにすわらせました。

スキッパーは、スミレさんとギーコさんはどうなってしまったのかとおどろくばかりです。でも、ふたごはにこにこ笑いながら、たのしんでいるようにみえました。

つぎはスミレさんがうたいます。

「♪きいてちょうだい　このひとのことを

（ギーコさん「なんのこと？」）

どんなきもちか　わからない

（ギーコさん「そうかなあ」）

うれしいときも　この顔つきで
かなしいときも　この顔つきで」

この顔つきで、のところはスミレさんは無表情になりました。おどろいたことにギーコさんまで、そこのところはわざわざ表情のない顔をつくって、四人のほうをふりむきました。

ふたごはきゃっきゃと笑い声をたてました。ふたごにつられて、スキッパーもドーモさんも、思わず笑ってしまいました。四人が笑うと、スミレさんもギーコさんもよけいにはりきって、すっとぼけた無表情をつくりました。

「♪たのしいときも　この顔つきで
おこったときも　この顔つきで
もっときもちを　わからせて
いちにちずっと　おなじ顔つき」

ギーコさんとスミレさんはふたりならんでかんたんなステップの踊りをしました。歌と同じリズムのようでした。ステップをふみながらスミレさんが先に立ってふたりは階段をのぼっていきました。中ほどでたちどまると、こちらをむいて、いっしょにうたいはじめました。

「♪（ギーコさん）
きいてください
このひとのことを
このひとときたら
ほんとにわがまま

♪（スミレさん）
きいてちょうだい
このひとのことを
どんなきもちか
わからない

♪（ふたりで）
こんなひとと　くらしています
わかってください　わたしのことを
こんなひとと　くらしています
わかってください　わたしのことを」

歌がおわったらしく、ふたりはそこで、両手をいっぱいにひろげて、おしまいの声をのばしました。

スキッパーは、感心していました。とくにおしまいの、ふたりがいっしょにうたうところでは、ちがう高さの音をひびかせあうのにおどろきました。そしてなによりも、うたうふたりはたのしそうでした。きいているスキッパーもたのしくなっていました。

――ギーコさんとスミレさんって、こんなに歌がじょうずだったんだ。

ほかの三人もそう思ったにちがいありません。歌がおわるのと同時に、みんなは盛大な拍手をしていました。

「すごい！」

「じょうず！」

「すてき！」

ドーモさんは指笛を鳴らしました。ギーコさんとスミレさんは、四人の観客に、はれやかにおじぎをしました。

「（みているだけではつまらない）」

スキッパーの耳が、ちいさなささやき声をとらえました。ふたごがささやきあう声でした。

「（わたしたちもたのしもう）」

それって、いっしょにうたいたいってことかな、とスキッパーは思いました。

階段のとちゅうで、スミレさんとギーコさんが話しはじめています。

「それにしてもあたしにはわからない。どうしてこんなにうたえてしまうのか。おどれてしまうのか」

「ぼくにもわからない。まるで用意されていたことばを話すように、どうしてつぎつぎとしゃべることができるのか」

ふたりの声は大きくはっきりしていて、いつもよりリズムがあって、早口でした。

「はじめての歌なのに、まるでよく知っている歌のように」

「はじめての踊りなのに、まるでなんども練習した踊りのように」

「光と音楽のなかで、気がつけばうたっている」

光と音楽ってなんだろう、とスキッパーは思いました。

「気がつけばおどっている」

「いったいいつからこうなったのかしら」

「いったいなにがこうさせたのだろう」

そこでふたりが顔をみあわせたとき、だしぬけに、ふたごがさけびました。

「スミレさん、ギーコさん、コーヒーを飲ませて!」

4

ふたごが、コーヒーをリクエストすること

「わたしたち、コーヒーを飲みたい！」

ずいぶんとつぜんなリクエストでした。

「コーヒー？」

ギーコさんとスミレさんは声をそろえました。声はそろいましたが、そのあとの反応がちがいました。ギーコさんのほうは、こう続けました。

「これはこれは失礼しました。お客さまに飲みものもだしていない。しかしきみたち」と、階段をおりてきて、ふたごとスキッパーにいいました。「コーヒーを飲むの？　コーヒーならたっぷりあたためてあるからつごうがいいけど、ほかのものでもいいんだよ」

紅茶のほうがいいかな、とスキッパーは思いました。けれどそれをいうまえに、ふたごがこたえました。

「コーヒーがいい。わたしのいまの名前はシュガーだから、さとうをたっぷり」

ふたごはときどき自分たちで、名前をかえるのです。もうひとりもいいました。

「わたしのいまの名前はハニーだから、蜂蜜をたっぷり」

ギーコさんはスキッパーをみました。

「きみは？」

「あ、じゃあ、さとうを」

ぽんぽんとすすむ話の流れに、紅茶がいいとはいいだせなかったのです。

「ドーモさんは？」

「あ、さとうをすこし」

うなずいて、ギーコさんはさっと台所へ消えました。

そのあいだスミレさんのほうは、ずっと階段のとちゅうに立ったままで、ずっと首をかしげていました。そしてもういちどちいさい声でつぶやきました。

「コーヒー……？」

ギーコさんはすぐに六人ぶんのカップをもって出てきました。そして四人のお客さまの前にそれぞれの注文どおりのコーヒーをおきました。

「いや、きょうのコーヒーはとてもうまくはいったんだ。そうだね、姉さん。ぼくたちももう一杯飲もう」

ギーコさんは、階段のとちゅうのスミレさんにカップをわたし、自分もカップをもって、かんぱいをするようなかっこうで、にっこりみんなをみわたしました。

ふたごは、せわしなくコーヒーをふきさましながら、すすりました。ドーモさんがひと口飲むのをみて、スキッパーも、そっとすすってみました。

コーヒーは前にも飲んだことがあります。苦いばかりで、どうしておとなのひとはこんなものを飲むんだろうと思いました。でも、きょうのコーヒーは前のよりおいしいような気がしました。

「コーヒー……」

もういちどつぶやいたのは、スミレさんです。

「いったいいつからこうなったのか、とあたしは考えていた……」

そうでした。スミレさんは、さっきそういったときからずっと動いていなかったのです。

「その質問にこたえるとすれば、それは、コーヒー……？」

なんのことだろうとスキッパーは思いました。が、スミレさんのすぐ下の段に立っていたギーコさんは、目を大きくさせてうなずきました。

「なるほど……。いったいなにがこうさせたのか、とぼくは考えていた。その質問にこたえるとすれば、それは、コーヒー……」

「おいおい、コーヒーがどうしたって？」

ドーモさんがききとがめました。

そのとき、ふしぎなことがおこりました。かすかに音楽がきこえてきたのです。スキッパーは、バーバさんといっしょにトワイエさんの家へいって、朝顔型のラッパのついた蓄音機で、いろんな音楽をきかせてもらったことがあります。いまきこえている音楽は、それよりずっときれいな音です。

――どこからきこえてくるんだろう。

スキッパーはきょろきょろまわりをみてしまいました。ドーモさんも、おや？という顔をしています。すぐ近くできこえているのに、どこからきこえているのかわからないのです。

つぎにおどろいたのは、天井のどこかから、何本もうっすらと光がさしこんできたことです。光は階段の中ほどにいるギーコさんとスミレさんにむかっています。光のくるほうをながめても、特別なランプもしかけもあるようにはみえません。なにもないところから光がさしこんで、ギーコさんとスミレさんを照らしているのです。

——まてよ、さっきスミレさんは、光と音楽っていわなかったっけ……。

スキッパーがおどろいたり首をひねったりしているうちに、光はどんどん強まり、音楽はもっとはっきりきこえだし、その音楽が歌の前奏だったことがわかりました。スミレさんとギーコさんが、あたりまえのように音楽の伴奏にのって、うたいはじめたのです。

「♪（スミレさん）あのコーヒーをのむまえは　あたしはいままでどおりのあたし」
「♪（ギーコさん）あのコーヒーをのむまえは　ぼくはそれまでどおりのぼく」
「♪（ふたり）いつものように朝がきて　いつものように顔を洗った
いつものようにコーヒー豆をだし　いつものようにミルでひいた
いつものように湯をわかし　いつものように湯をそそいだ
いつものようにカップをあたため
いつものようにコーヒーをいれた」
「♪（スミレさん）あのコーヒーをのむまえは　あたしはいままでどおりのあたし」
「♪（ギーコさん）あのコーヒーをのむまえは　ぼくはそれまでどおりのぼく」

しずかな歌の調子がとつぜんかわって、階段のとちゅうの段で、ふたりはコーヒーをこぼさないようにからだをゆすりながらうたいはじめました。

「♪（ふたり）それがこんなにしゃべりだし　それがこんなにうたいだし
それがこんなにおどりだし　これではまるでミュージカル」

「ミュージカル？」
音楽や光のふしぎさを一瞬わすれ、思わずスキッパーは声にだしてしまいました。バーバさんの手紙を思い出したのです。スキッパーの声は、ふたりの歌の、ちょうどいいきれめでたので、スミレさんが大きくうなずいて返事をしました。
「そう、ミュージカル」
「♪（ふたり）どうしてこんなにミュージカル
いつものようにコーヒーいれて　いつものようにのんだだけ
それがどうしてミュージカル　どうしてこんなにミュージカル
どうしてこんなに　ミュージカル」
うたいおわったふたりに、ふたごが拍手をしました。つられるようにスキッパーもドーモさんも拍手をしました。たしかに、音楽の伴奏のついた歌は、前よりもいっそうすてきでした。けれどどうして音楽と光が……。それはドーモさんがたずねてくれました。

「あの音楽はどこから流していたんだ？　それにあの光、あれはどこから照らしていたんだろう」

スキッパーもこきざみにうなずきました。ギーコさんの顔をみると、ギーコさんは目をまんまるにしていました。

「音楽がきこえて、光がみえるって？　スキッパー、きみもそうか！　シュガーとハニー、きみたちは？」

ふたごはにっこりうなずきました。

「きみたちもそうか！　姉さん、やっぱりそうだったんだ！」

ギーコさんはスミレさんと顔をみあわせ、もういちどスキッパーたちのほうにむきなおりました。

「まちがいない。コーヒーのせいだ」

「コーヒーのせい？」

ドーモさんが、自分の手のカップとギーコさんをみくらべました。

「そうなんだ。ぼくと、姉さんもコーヒーを飲んだあとから音楽がきこえて、光がみえるんだ。だれも音楽を流していないし、だれも照らしちゃいない。コーヒーのせいなんだ」

ドーモさんはまだほとんど残っているコーヒーのカップをテーブルにもどして、気味わるそうにみました。

「コーヒーの？　そんなばかかな。どうしてコーヒーを飲めば音楽がきこえて光がみえるようになるんだ？」

スミレさんが手をあげました。

「そのことについては、シュガーとハニーにたずねればわかる、とあたしは思うんだけど」

スキッパーのとなりでふたごがびくっとしました。スミレさんはゆっくりと階段をおりてきました。

「きのうの午後、ふたごがここにやってきた。ふたごがここにくるということが、まずめずらしいことだった」

スミレさんのしゃべりかたは、スキッパーが読んだ探偵小説のラストシーンで、事件を解説する名探偵のようでした。そう思ったとたん、それらしい音楽が流れはじめ、光がスミレさんを浮かびあがらせました。光はスミレさんが歩くとついて動きました。

「ふたごは、コーヒーミルの絵をかきたいのだが、自分たちの家にはないので、この家にあるならみせてくれといった。なぜわざわざコーヒーミルの絵なんてかきたいのかとあたしは思ったけれど、とにかく、コーヒーミルはだしてあげた。ふたごは、いますわっているソファにすわり、テーブルの上にコーヒーミルをおき、スケッチブックをひろげた。そして色鉛筆をだした。絵をかいていたのか、なにをしていたのか、あたしは知らない。というのは、あたしたちには絵はみせなかったから。みられるとはずかしい、とふたごはいった。もっとも、ふたりがどんな絵をかこうと、あたしはみたくもなかったわね。

そしてそのコーヒーミルで、あたしたちは、けさ、コーヒーをひいたというわけ」

そこまでいって、スミレさんはみんなに頭を軽くさげました。スミレさんはひとこともふたごがなにかをしただろうなんていいませんでした。けれどスキッパーは、ふたごがなにかをしたと思いました。ドーモさんもそう思ったようです。

「コーヒーミルに、だれかにもらった薬をいれたんだな」

ドーモさんがふたごを、かわるがわる指さしながらいうと、ハニーがすっくと立ちあがりました。

「だれかにもらったんじゃないもん」

シュガーも立ちました。

「薬じゃないもん」

やっぱりなにかをしていたのです。

「あれをみつけたのはわたしたち。だからだれかにもらったんじゃない」

「そう、あれはわたしたちが森でみつけた」

いつのまにか光がふたごに集まり、どこからかメロディのない、リズムだけの音楽がきこえはじめました。ふたごのことばはうまくリズムにのって続きました。

「それははじめてみる草で、いままでそんなのみたことない」

「はじめは花が咲いていた。それがだいたいふた月まえ」

「花がちって、実がなっていた。それがだいたい十日前」

「その日、二ひきのリスがきた。草の実みつけてにおいをかいだ。これ食べられるかな、どうだろう」

「ええい食べちゃえ、ポリポリゴックン。二ひきのリスはその実を食べた。食べてそのあときょとんとしてた。そしてとつぜんとびはねた」

「それからリスは、大はしゃぎ」

ここでとつぜんリズムが速くなり、ふたごはソファの前から広いところにとびだし、両手両足をめちゃくちゃにふりまわすような奇妙な踊りを、ふたりぴったりそろっておどりました。ふたりとも、これ以上のしあわせはないという顔をしています。

もとのリズムにもどりました。

「つぎの日も、おなじ二ひきのリスがきた。おなじ草の実ポリポリゴックン」

「そしてそのあと大はしゃぎ」

もういちど速いリズムになって、ふたごはしあわせでめちゃくちゃな踊りを、ぴったりそろっておどりました。

もとのリズムです。

「わたしたちは考えた。リスはとってもたのしそう。あれは草の実食べたせい」

「あの草の実はリスにだけ、ききめがあるものなんだろか」

「わたしたちにはどうなんだろか」

「わたしたちにはどうなんだろか」

「草の実とって、においをかいだ」

「それのにおいがコーヒーそっくり」

「それできまったこの草の実を、コーヒーミルでひくといい」

「それでさっそくもちかえり、家にあったコーヒーミルで、その草の実をひいてみた」

そこでスミレさんがなにかいいかけましたが、がまんしました。

「わたしたちは、その粉なめた」

「すると音楽」

「それから光」

「やがてわたしはうたいだし」

「はじめはわたしはきくばかり」

「やがてわたしはおどりだし」

「わたしはハニーをみるばかり」

「でもそのうちにシュガーもうたい」

「しばらくするとわたしもおどり」

「なんてたのしい」

「なんてしあわせ」

スミレさんと ギーコさんの
うちにある コーヒーミル

ふたごのうちにある
コーヒーミル

「わたしたちは考えた。ほかのひとにもきくだろか。いつもおすましスミレさん、とっても無口なギーコさん、どんな顔してうたうだろうか、どんな踊りをおどるだろうか」

「それを思うとうきうきわくわく」

「想像したらニヤニヤクスクス」

「なんとかふたりになめさせたい」

「けれどもふつうにたのんでも、きっとふたりはなめてくれない」

「ここはひとつ考えよう」

がまんできなくなって、スミレさんが口をはさみました。

「それでうちのコーヒーミルにその粉をいれたのね！」

スミレさんのそのことばで、伴奏のリズムが消えました。

「でも、たのしいでしょ」

「しあわせでしょ」

むじゃきに笑うふたごに、スミレさんは顔をしかめました。

「おだまり！　ききましたか、ギーコさん」

「ききました。ゆるせません」

「そうです。ゆるせません。もしもそれがからだにわるいものだったら、どうするんです？」

「リスは元気だった」

「わたしたちも元気だった」

「しばらくしてからきいてくる毒だったらどうするんです！」

「ちょっとまって」

とつぜんスキッパーが立ちあがりました。もうだまってはいられなかったのです。

ふだんこういうときにわりこまないスキッパーですから、みんなだまって、ほおを赤くしているスキッパーをみました。

「その草って、つる草じゃなかった？」

スキッパーがたずねると、ふたごがそろってこたえました。

「つる草だった」

「花はそら色で、雪の結晶の形じゃなかった?」

「花はそら色で、雪の結晶の形だった」

「葉が三日月の形で、実は星の形じゃなかった?」

「葉は三日月の形で、実は星の形だった」

スキッパーは、スミレさんとギーコさんにいいました。

「それ、だいじょうぶです。食べたり飲んだりする人がいますから。バーバさんが手紙に書いていました。カタカズラっていうんです」

「カタカズラ?」

ふたごが声をそろえて、ききかえしました。

「うん。カタカズラ。つるがかたいからそういうんだって」

ドーモさんは、それはどこかでみたような気がするぞと思いました。スキッパーは続けました。こういう説明ならとくいなのです。

「その実はコーヒーのにおいがするんだ。そしてその粉は、食べたり飲んだりしたひとをしゃべらせたり、うたわせたり、おどらせたりするから、ミュージカル スパイスと呼ばれているんだって」

「ミュージカル スパイス？」

ギーコさんとスミレさん、シュガーとハニーの四人が、声をそろえてききかえしました。

「なんてすてき、ミュージカル スパイス！」

ふたごが手をとりあっていいました。

「よかったじゃないか。安全なんだ」

うれしそうにいうドーモさんを、スミレさんがきっとにらみました。

「あとからわかったんじゃありませんか。じょうだんじゃありませんよ。こんなめにあわされるなんて」

「でも、ほんとにすてき、ミュージカル　スパイスなんて」

ハニーがいうと、スミレさんがまゆをよせました。

「ま！　あなたたちのしたことはわるいことなんですよ！　反省の色もみせないのね」

「反省してる」

「そう、してる」

あわててふたごがいうと、スミレさんは肩をすくめました。

「どうだか」

「あやまる。ごめんなさい。でもミュージカル　スパイスって、すてき」

「わるかった。もうしない。でもミュージカル　スパイスって、なんてすてき」

こりゃだめだ、ほんとうは反省なんてしていない、スミレさんもギーコさんもスキッパーもドーモさんも、そう思いました。

「ミュージカル　スパイス」

シュガーがうたうようにいいました。
「ミュージカル　スパイス」
ハニーのいいかたはもっと歌のようにふしがついていて、
ああ、これは歌になるな、とスキッパーは思いました。
そのとたん、音楽と光がやってきました。
「♪なんてすてき
ミュージカル　スパイス」
ふたりがそこをうたったあと、シュガーの歌がはじまりました。
「♪だれでもしってる　スパイスは
こしょうにシナモン　ガーリック
風味と香りでひきたてる
〝ほら　ちょいと　ひとふり〟
なんていいあじ　いいかおり」

続いてハニーがうたいます。

「♪はじめてためした　スパイスは
ふしぎな草の実　カタカズラ
しゃべらせおどらせ　うたわせる
〝ほら　ちょいと　ひとふり〟
あっというまにミュージカル」

ふたりならんでくりかえしのところを、ステップをふみながらうたいます。

「♪ミュージカル　スパイス
ミュージカル　スパイス
なんてすてき
ミュージカル　スパイス」

きゅうにスミレさんがふたりの横にならんでうたいはじめました。

「♪ほんとにこれはだまされた
いたずらむすめに　だまされた
こいつはただでは　すまされぬ
〃ほら　ちょいと　つかまえ〃
どんなおしおき　してやろか」

スミレさんは腕をふりあげふたごをぶつまねをしましたし、ふたごも逃げるまねをしましたが、スキッパーには、どちらも本気ではないようにみえました。うたっておどることをたのしんでいるようにしか、みえませんでした。

そこへギーコさんもくわわりました。

「♪だれもしらない　スパイスは
人生にぱらりと　かくしあじ
しんじられない　この気分
〃ほら　ちょいと　ひとふり〃

あっというまに　ミュージカル」
くりかえしは四人の合唱（がっしょう）になりました。
「♪ミュージカル　スパイス
ミュージカル　スパイス
なんてすてき
ミュージカル　スパイス」
もういちどスミレさんの歌（うた）です。ほかの三人は、
ぴたりとそろってからだをゆすっています。
「♪だまされは　したけれど
しゃべってうたって　おどったら
なんだか気分（きぶん）が　よくなって
〃ほら　ちょいと　ラッキー〃
こんなあたしも　わるくない」

スミレさんが高くあげた手を、ギーコさんがパチンとたたいて、交代します。

「♪いつものような　ぼくもぼく
けれどきょうの　ぼくもぼく
しんじられない　この気分
〝ほら　ちょいと　ひとふり〟
おっとこの世は　ミュージカル」

四人が足をあわせてうたいます。

「♪ミュージカル　スパイス
ミュージカル　スパイス
なんてすてき
ミュージカル　スパイス
　ミュージカル　スパイス
ミュージカル　スパイス

なんてすてき
ミュージカルスパイス」

四人が手をひろげてうたいおわり、あっけにとられていたドーモさんとスキッパーは、はっと気づいて、あわてて拍手をしました。

「ドーモさん、スキッパー、きみたちもそのコーヒーをすっかり飲んで、いっしょにうたってみればどうだろう」

ギーコさんがすすめました。ドーモさんとスキッパーは、さっきひと口飲んだだけだったのです。ひと口だけですが、音楽がきこえ、光がみえます。もっと飲めばきっと歌をうたったり、おどったりすることになるでしょう。たのしいでしょうか。たのしいかもしれません。でも、スキッパーはそんな自分が想像できず、飲む気になれませんでした。

「いや、あの、これだけでもじゅうぶんにたのしいよ」

ドーモさんのことばに、スキッパーもあわててうなずきました。

「もっとたのしくなれるのに」

「ほんとにたのしくなれるのに」

ふたごもすすめました。

スミレさんはちょっとちがいました。

「飲みたければ飲めばいいわ。あたしはむりにすすめないわよ」

「あのう、べつのものが飲みたいっていってもいいかなあ」

ドーモさんがえんりょがちにいいました。

「もうお昼だろ。ぼくはお弁当にサンドイッチをもってきてるんだけど、コーヒーでない飲みものをもらえないだろうか」

5 スキッパーとドーモさんが心をきめること

それではわれわれもサンドイッチにしようとギーコさんがいって、あっというまにほかのひとのぶんのお昼の用意をつくってくれました。ちょうど何日ぶんかのパンを焼いたところだったのです。

チーズとハムとクレソンのサンドイッチを食べながら、スキッパーはおちつきませんでした。テーブルの上にずっとおいたままのカップが、気になります。そこには、バーバさんが旅をのばしたくなったほどの、ミュージカル スパイスいりのコーヒーがはいっているのです。

「その、いってみれば、お酒に酔っぱらうみたいな気分かい?」

ドーモさんがギーコさんにきいています。もちろん、ミュージカル スパイスのことです。

「いや、お酒とはちがうな。うん、ぜんぜんちがう。お酒は、お酒に酔っぱらうんだろ、ドーモさん。これはちがうんだ。歌とか踊りとかおしゃべりとかに、酔うんだ」

「まあギーコさん、歌や踊りやおしゃべりに酔うだなんて、すてきないいかた」

というスミレさんに、ギーコさんはにっこりうなずきました。

ドーモさんはふたごにたずねました。

「きみたちもそうかい？　歌や踊りやおしゃべりに、酔うって気分かい？」

「音楽と光がやってくる」

「気がつくとうたってる」

「自分がうたうのはたのしい」

「ひとの歌をきくのもたのしい」

「いっしょにうたえばなおたのしい」

「いっしょにおどればなおたのしい」

「しゃべりあうのがまたたのしい」

「そうそう」

ふたごのことばに、スミレさんとギーコさんが大きくうなずきました。

ドーモさんはもういちどふたごにたずねました。

「その、なにかい？　きみたちのいう、たのしいって気分は、うきうきしてるのかい？」

「してる」

ふたごは声をそろえました。ドーモさんはかさねてたずねました。

「どこかぼうっとしているかい？」

ふたごは顔をみあわせて、すこしだけ考えました。ギーコさんとスミレさんも、どうだろうと顔をみあいました。ふたごがこたえました。

「どちらかといえば、ぼうっとしていない」

「たとえばいまは、ぼうっとしていない」

「ぼうっとしていたら、声をあわせていっしょにうたえない」

「ぼうっとしていたら、相手のおしゃべりにあわせてしゃべれない」

「ぼうっとしていたら、足をそろえておどれない」

「そうそう」

スミレさんとギーコさんがうなずきました。

「じゃあ」ドーモさんがさぐるようにいいました。「うきうきして……、相手のことがわかるってわけかい？」

「そうそう」

スミレさんとギーコさん、そしてふたごがうれしそうにうなずきました。

そんな話をききながら、スキッパーは考えていました。このコーヒーを飲んだほうがいいのか、飲まないほうがいいのか……。

むりにすすめない、とスミレさんはいいました。飲みたければ飲めばいい、と。飲みたくなければ、飲まないでもいいのです。スキッパーは自分のきもちがどちらなのかわかりませんでした。飲んでうたってしまうのがはずかしいというきもちはあります。でも飲まなければ、せっかくのチャンスをのがすのでは、というきもちも、なくはないのです。

なやみながら食べるサンドイッチの味は、あまりわかりませんでした。

――シアター島のバーバさんはどうするだろうか。
ふっとそう思いました。すぐにこたえは思いつきました。
――はじめは観察する、それから自分でもためす。
きっとそうするでしょう。ではスキッパーは
どうするか。もう観察はしました。となると……。
スキッパーは、コーヒーカップに手をのばしました。
「……つまり、ひとの歌やことばをきくことに、
感覚がするどくなるっていうか……」
しゃべっていたスミレさんがことばをのみこんで、
スキッパーをみました。
スキッパーは、さめたコーヒーを
ごくごくっと飲みました。それから、
みんなが自分をみているのに気がつきました。

「(スキッパーがコーヒーを飲んだ)」

「(いったいどんな歌をうたうんだろう)」

「(踊りかもしれない)」

「(おしゃべりかもしれない)」

ふたごがささやきあいました。それこそスキッパーの知りたいことでした。いったいぼくはどうなるんだろう。

とつぜんスキッパーがはっきりと思い出したことがあります。それはガラスびんの家にやってくる道で、ドーモさんがした質問のひとつです。

——スキッパーは、ひとりでウニマルにいて、いつもなにをしているんだい? たいくつじゃないのかなあ。

それを思い出したとたんに、スキッパーは、自分のまわりの空気がぱっと明るくなったような気がしました。思わず光のやってくるほうをみあげましたが、まぶしいばかりでした。気がつくと背すじがのびて、いい姿勢になっていました。

そして、しゃべりだしていました。

「ウニマルですることはいっぱいあるよ。きょうも木の枝をみて、いろいろ想像していたんだ。ドーモさんがくる前のことなんだけどね」

「なんだって？　木の枝をみて、想像していた……？」

ドーモさんがたずねかえしました。

「うん。湖の岸辺でひろったんだ。これくらいの長さで、これくらいの太さ」スキッパーは指でしめしました。「そう。折れた木の枝の一部なんだ。木の皮もむけて、白くかわいていて、もっとおどろくほど軽いんだ」

「(スキッパーが、はきはきしゃべってる！)」

「(スキッパーが、ぺらぺらしゃべってる！)」

ハニーとシュガーがささやきあいました。ささやき声はスキッパーにもきこえました。ふたごがささやきあったことは、スキッパーも自分でしゃべりながら感じていたことでした。

――ぼくがしゃべってる。それも、はきはき。それから、ぺらぺら。

「はじめはなにげなくひろったんだ。『おや、ちいさい木の枝がおちているぞ』ほんとになにげなく。『わあ、ずいぶん軽いんだ』そして岸辺にすわって、それを手のひらにのせて、ぼんやりと考えてみたんだ」

このあたりで、しゃべっている自分がさらに強い光で輝きはじめる感じがしてきました。もっとふしぎなのは、音楽がきこえてくるように思えることです。音楽をききながらしゃべると、ふつうにしゃべるよりも、ずっとゆっくりした調子になってしまいました。

「いま、こうして、ぼくにひろわれた、このちいさい小枝……。こうなる前は、いったいどうだったんだろうって……」

スキッパーの耳の底できこえる音楽は、まちがいなく、いまからスキッパーがうたうはずの曲の前奏のようでした。スキッパーは立ちあがっていました。歌詞とメロディーは、伴奏にひきだされるようにすうっと出てきました。

「♪ほそいちいさな　かわいた小枝（こえだ）
湖（みずうみ）の岸辺（きしべ）で　ぼくがひろった
小枝（こえだ）は　うまれたときからずっと
ほそくちいさく　かわいていたのか
いまはこんな　姿（すがた）だけれど
きっと昔（むかし）は　こうじゃなかった
小枝（こえだ）をにぎって　ぼくは思う
小枝（こえだ）がこれまで　たどった時間を」

ハニー「(スキッパーがうたってる!)」
シュガー「(スキッパーがうたってる!)」

「♪森の深（ふか）い山のなか　一羽（いちわ）の鳥が飛（と）んできて
ふんわりしめった土の上　ちいさなたねを　おとしていった
やがて　たねは　芽（め）をだした　ちいさな若葉（わかば）を　そっとひらいた

そして　たねは　根をのばす　ほそい根っこを土のなかへ
　太陽はあたたか　光をそそぎ　雨はたっぷりふりそそぎ
　鳥はうたう　よろこびの歌　星はうたうこもりうた」

ハニー「(こんな歌声だったんだ)」

シュガー「(こんな歌声だったんだ)」

「♪森の深い山のなか　いつか若い木が一本
緑の葉っぱを風にゆらせ　その足もとに影をつくる
春夏秋冬季節がめぐり　いつか大きな木が一本
花を咲かせ　実を結び　鳥はついばむちいさな実
　太陽はあたたか光をそそぎ　雨はたっぷりふりそそぎ
　鳥はうたうよろこびの歌　星はうたうこもりうた」

ハニー「(一本の小枝から……)」

シュガー「(こんなことを考えるんだ)」

「♪あるとき嵐が森をおそい　雨は山を川にかえ
風は倒す老いた木を　折れた枝は流される
岩にぶつかり水にもまれ　さらにこまかくひきさかれ
やがて湖の岸辺に　波にゆられてうちあげられ
　太陽はあたたか光をそそぎ　ほそくちいさくかわいた小枝
　ぼくがひろった小枝が語る　小枝の時間の物語
ぼくはもう　この小枝を　すてられない
ぼくは小枝を　すてられない」

歌がおわると拍手につつまれました。スキッパーは、てれくさいけれど、なんだかほこらしいきもちで、ソファにすわりました。

「なるほど、スキッパーは、そういうふうに想像しているのね」

スミレさんがうなずくと、ギーコさんがつけくわえました。

「そういうふうに、たのしんでいるんだ」

そのとき、ドーモさんが自分のコーヒーカップにそろそろと手をのばしました。

そして、いっきにコーヒーを飲みほしました。それからみんなの顔をみわたし、肩をすくめて笑い顔をみせました。

「へへ、こうなっちゃあ、飲まずにはいられないよなあ」

みんなは期待の目でドーモさんをみつめました。しばらくドーモさんはいごこちがわるそうでした。が、とつぜんしゃきっと立ちあがりました。光がふりそそいでいます。

「さあ！　いよいよ、ぼくのばんだな！」

「そうよ！　おまたせしたわね、ドーモさん！」

どうやらスミレさんは、ふんいきをもりあげようとしているようでした。

光をあびているドーモさんをみて、自分もさっきはこんなふうにみえたんだろうかとスキッパーは思いました。

「ぼくの仕事といえば郵便配達だ」

ドーモさんがしゃべりはじめました。やはりいつものドーモさんのしゃべりかたよりずっとはきはきしています。
「この仕事をぼくは好きだ。愛してる。ぼくは郵便を配達するひとになって、ほんとうによかったと思ってる」
いつのまにかバイオリンとアコーディオンのしゃれた音楽が流れていました。ドーモさんは二度ばかり、のどの奥でせきばらいをしました。
「♪手紙それは　ひととひとを　つなぐことば
　ありとあらゆる手紙を　ぼくは配って歩く
ひとつの手紙が　ひととひとの　人生をつなぐ
ふたつの人生をつなぐ手紙を　ぼくは配って歩く
　ちいさいときから　あこがれていた
　ぼくは　手紙を　配るひと
ひとつの手紙が　ひととひとの　人生をつなぐ

ふたつの人生をつなぐ手紙を　ぼくは配って歩く
　ちいさいときから　あこがれていた
　ぼくは　手紙を　配るひと」

歌がおわると話しことばになりました。音楽は続いています。

「そんなに好きな仕事だけれど、仕事っていうのは一から十までいつもいつもたのしいってわけじゃあないんだ。わかるかい、スキッパー、ハニー、シュガー。たまには、きょうはもう休みたいな、なんて日もある。だけどね、こそあどの森に手紙をもってくるっていうのは、これはもうほんとに好きなんだ。どんなに気分がめいっているときでも、こそあどの森へいかなくちゃならないってことになると、ぱっとうれしくなるんだよ。ぼくはこの森が好きなんだ」

このあたりで、音楽がかわりました。

「この森にやってくると、つい歌がでてしまうんだ。

こんな歌。

♪この森でもなければ
その森でもない
あの森でもなければ
どの森でもない
こそあどの森　こそあどの森
こそあどの森　こそあどの森
ところがきょうはおどろいたよ。いや、まったく妙な日だ。だってそうじゃないか」
ここではじまった前奏は、スキッパーはどこかできいた曲だなと思いました。ドーモさんがうたいはじめてわかりました。
「♪きょうはなんともへんな日だ
いつもはしずかなひとたちが
陽気におしゃべり　歌　踊り
〃ほら　ちょいと　へんだろ〃

これはいったいなんのせい？」

さっきスミレさんとギーコさん、そしてふたごがうたったミュージカル スパイスの曲だったのです。そこで全員がくりかえしのところをうたっておどりました。そしてさっききいただけの歌なのにちゃんとうたえました。

さっきみただけのステップなのにスキッパーはちゃんとおどれました。

「♪ミュージカル スパイス

ミュージカル スパイス

なんてすてき

ミュージカル スパイス」

伴奏の音楽が続くなかで、ことばがつぎつぎとびだしました。

ハニー「でもドーモさん、飲んでよかったでしょ？」

シュガー「これというのも、わたしたちのおかげ」

スミレさん「だからといって、だまして飲ませるのは、ゆるせません」

ギーコさん「わるい子には、おしおきを！」
スキッパー「でも、ぼく、飲(の)んでよかった」
ドーモさん「うん、ぼくも、飲(の)んでよかった」
そしてドーモさんの歌(うた)です。
「♪ちょっぴりまよって飲(の)んだけど
しゃべってうたっておどったら
なんだか気分(きぶん)がよくなって
〝ほらちょいとラッキー〟
こんなおいらもわるくない」
全員(ぜんいん)「♪ミュージカル　スパイス
ミュージカル　スパイス
なんてすてき
ミュージカル　スパイス」

ドーモさん「♪きょうはなんともへんな日だ
いつもはなかよしあの夫婦
どうやらけんかをしてるらしい
〃ほら　ちょいと　へんだろ〃
これはいったい……」

歌がとまったのは、伴奏がとまったからです。ほかの五人も歌や踊りをやめ、ドーモさんをみつめていました。

「いつもはなかよしあの夫婦って……」

と、ギーコさんがいい、

「どうやらけんかをしてるらしいって……」

と、スミレさんが続けると、

「トマトさんとポットさんのこと?」

と、ふたごが声をそろえました。

みんなが、歌や踊りをとちゅうでやめるほどおどろいたので、ドーモさんのほうがどぎまぎしてしまいました。

「え？　ああ、知らなかったの？」

みんなはいったん顔をみあわせ、そのつぎに口々に質問しました。

「あのふたりがけんかをしているって、ほんとうかい？」

「いったいどういうわけなの？」

「口げんか？」

「ひっかいたり、けったりする？」

「ものをなげたり、こわしたりする？」

「ねえ、ほんとうなの？」

ドーモさんは両手をあげて、みんなを静かにさせました。

「ポットさんはこういったんです。トマトさんとうまくいっていない。どうしようもない。気分が沈む。そのことについて話しあってはいない、と」

「どうして話しあわないのかしら」

スミレさんがたずねました。ほかのみんなも首をひねりました。

「問題がはっきりすればいいとはかぎらない、とポットさんはいうんです」

ドーモさんがこたえました。

「そりゃどういうことだろう」

ギーコさんがたずねると、全員が、首をひねりました。

「問題がはっきりするといよいようまくいかなくなるかもしれないって、ポットさんはいっているのね」

スミレさんがつぶやきました。

「話しあったほうがいい、とぼくは思うんですけどね。とにかく元気がないんです」

ドーモさんがぼそぼそっというと、全員考えこみました。

「いい考えがある！」

ハニーがいいました。

「わたしにもいい考えがある！」

シュガーもいいました。そして声をそろえました。

「ミュージカル　スパイス！」

ほかの四人が顔をみあわせました。そして四人がいっしょにつぶやきました。

「ミュージカル　スパイス……」

「なるほど」ギーコさんが腕をくみました。「うたっておどれば、たしかに気分はかわるな」

「なるほど」ドーモさんも腕をくみました。「いっしょにうたえば、わかりあえることもあるな」

「なるほど」スミレさんはふたごをみて腕をくみました。「あなたたちが思いつきそうなことね。けれどひとついっておくわよ。ポットさんとトマトさんをだましてコーヒーを飲ませるのは、あたしは反対ですよ」

「なるほど」スキッパーも腕をくんでしまいました。スキッパーはなにをいうのだろうとみんながみました。スキッパーは、「なるほど」と、もういちどうなずきました。

「コーヒーは残(のこ)っているのかい？」

ドーモさんがきくと、ギーコさんがこたえました。

「たっぷり」

6

六人が、森のなかを行進(こうしん)すること

ドーモさんを先頭に、スキッパーそしてふたご、コーヒーのはいったポットをもったギーコさんとスミレさんは、ガラスびんの家を出て湯わかしの家へむかいました。森のなかの道を歩きはじめてすぐ、スキッパーは、前をいくドーモさんの歩きかたが、なんだか踊りのステップのようだと気づきました。気づいたら、もう自分も同じステップで歩いていました。ふりむくと、ハニーとシュガーも同じステップになっています。ふたりと目があうと、スキッパーはうれしくなってしまいました。ギーコさんとスミレさんの足もそろったとき、六人の頭のなかでは、音楽が鳴りひびいていました。

「ワンツースリーフォー、ワンツースリーフォー」

だれがいいはじめたのか、リズムにあわせて声がでてきます。

「ワンツースリーフォー、ワンツースリーフォー

ステップそろえて、ワンツースリーフォー

ワンツースリーフォー、ワンツースリーフォー

ステップそろえて、ワンツースリーフォー」

みんながちいさな声で「ワンツースリーフォー」とくりかえすなかで、ドーモさんがうたいはじめました。

「♪いつでもなかよしあのカップルが
　　　（ワンツースリーフォー、ワンツースリーフォー）
なんだかうまくいってないらしい
　　　（ワンツースリーフォー、ワンツースリーフォー）
ここはひとつ陽気にもりあげにいこう
　　　（ワンツースリーフォー、ワンツースリーフォー）
歌をうたっておどれば心もウキウキ
　　　（ワンツースリーフォー、ワンツースリーフォー）
つらい思いや悲しいきもちにさよなら
　　　（ワンツースリーフォー、ワンツースリーフォー）

なやみうちあけみんなでおどろう

(ワンツースリーフォー、ワンツースリーフォー)」

ハニー「でもなやみをうちあけると問題がはっきりしてしまう」

(ワンツースリーフォー、ワンツースリーフォー)

シュガー「問題がはっきりすればいいとはかぎらないってポットさんがいってる」

(ワンツースリーフォー、ワンツースリーフォー)

ドーモさん「しかしすくなくとも、原因はわかるわけだ」

(ワンツースリーフォー、ワンツースリーフォー)

スミレさん「ドーモさんは原因に興味があるみたいね」

(ワンツースリーフォー、ワンツースリーフォー)

ドーモさん「いやいや原因がわかれば考えようもあるじゃないか」

(ワンツースリーフォー、ワンツースリーフォー)

スミレさん「そりゃまあそうだけど……」

（ワンツースリーフォー、ワンツースリーフォー）

スミレさん
ギーコさん「♪おせっかいかもしれないけれど

（ワンツースリーフォー、ワンツースリーフォー）

とにかくコーヒーすすめにいくけど

（ワンツースリーフォー、ワンツースリーフォー）

なやみはかわってあげられないけど

（ワンツースリーフォー、ワンツースリーフォー）

歌（うた）をうたっておどれば心晴（こころは）れるから

（ワンツースリーフォー、ワンツースリーフォー）

つらい思いや悲（かな）しいきもちをわすれて

（ワンツースリーフォー、ワンツースリーフォー）

そばでいっしょにすごそうひととき

（ワンツースリーフォー、ワンツースリーフォー）」

ドーモさん「♪友だちの　　（友だちの）

家へ　　（家へ）

さあいこう　　（さあさあいこう、友だちの家へ

ワンツースリーフォー、ワンツースリーフォー）」

歌がおわっても、みんなは「ワンツースリーフォー」と小声でうたいながら進んでいきました。

「ワンツースリーフォー」をききながら、そしてステップはみんなとあわせながら、スミレさんはギーコさんに話しかけました。スキッパーは耳がいいので話がすっかりきこえました。

「ねえ、ギーコさん」

「なに？」

「あたしたち、はじめはずっとふたりでうたっておどってたでしょ。それはそれでたのしかったけど、こうしてみんなでいっしょにうたっておどるっていうのも、わ

くわくするわね」

「うん、ぼくもそう思ってた。ワンツースリーフォーだけでもゆかいなんだから。あ、**ワンツースリーフォー、ワンツースリーフォー**」

スキッパーもうなずきました。

――ほんとにそのとおりだ。ワンツースリーフォーだけでどうしてこんなにたのしいんだろ。

スキッパーのすぐうしろで、ちがう音がまじりはじめました。ふたごが、ツーのところとフォーのところで手をたたいたり、ひざをたたいたりしています。ステップに変化をつけようというのです。おもしろそうなので、スキッパーもならびました。どういうわけか、ならんでステップをふみながら行進していると、つぎに手をたたくのか、スキップするのかわかりました。

「**ワンツースリーフォー、ワンツースリーフォー**」

そろって変化をつけていると、こんどは歌もつけくわえたくなりました。

「ワンツースリーフォー、ワンツースリーフォー」

ハニー「♪いつでもラブラブあのカップルが」

　　　　スミレさん・ギーコさん（おせっかいかもしれないけれど）

「♪なんだかこのごろ元気がないらしい」

　　　　全員（ワンツースリーフォー、ワンツースリーフォー）

シュガー「♪ここはひとつ陽気にもりあげにいこう」

　　　　スミレさん・ギーコさん（おせっかいかもしれないけれど）

「♪歌をうたっておどれば心もウキウキ」

　　　　全員（ワンツースリーフォー、ワンツースリーフォー）

スキッパー「♪つらい思いや悲しいきもちにさよなら」

　　　　全員（さよなら、悲しいきもちにさよなら）

「♪元気づけようみんなでいこう」

　　　　全員（ワンツースリーフォー、ワンツースリーフォー）

六人はあるときは一列になって右に左にカーブしながら、あるときはばらばらにわかれてまたあつまり、ステップを踏みながら進んでいきました。

トワイエさんの家がある大きな木のまわりは、ぐるりとひとまわりしてみました。でもトワイエさんは出てきませんでした。どこかへでかけているのでしょう。

やがて遠くに、湯わかしの家がみえてきました。

7 すてきなミュージカル　スパイス

「ワンツースリーフォー、ワンツースリーフォー」

いやに陽気な声がきこえてきました。ひとりではありません。ポットさんは玄関の戸をあけて外のようすをみてみました。

森のむこうから一団がやってきます。ドーモさんが先頭です。そのあとにスキッパーとふたご、そしてスミレさんとギーコさん。六人がたのしそうにからだをゆすりながら足をそろえてやってくるのです。

――妙なとりあわせだなあ。

と、ポットさんは思いました。この六人がいっしょになってやってくるというのがわかりません。

ふりかえると、トマトさんが窓をあけて外をみていました。ふつうなら、玄関にならんでみるだろうなと、ポットさんはちいさくためいきをつきました。

「ワンツースリーフォー、ワンツースリーフォー」

近づいてくる六人は、ことさらたのしそうにみえます。とうとう玄関のすぐ前ま

でやってきました。きちんとならんでぴたりと足をとめると、ドーモさんが、
「♪友だちの」と、うたうと、あとの五人がそろって
「♪友だちの」とうたいました。
「♪家に」とうたうと**「♪家に」**と続けました。最後にドーモさんが
「♪さあ着いた」とうたうと、五人はワンツースリーフォーのふしで
「♪さあさあ着いた、友だちの家へ、友だちの家へ、友だちの家へ」とうたい、両手をひろげ、声をのばしました。

ポットさんはびっくりしました。なんのためにこんなことをしているのかわかりませんが、六人はよっぽど練習をしたのにちがいありません。でなければ、こんなにぴったりそろうはずはないのです。

うしろでトマトさんが拍手をしています。ポットさんも拍手をしながら、六人のほうへ出ていきました。

「こりゃまた、どうしたんだ。旅芸人の一座がやってきたのかと思ったぜ」

トマトさんが声をかけました。

「はいってちょうだい。お茶をいれるわ」

ふたごがささやきあう声が、ポットさんにきこえました。

「（元気そうにみえるけど、あれはうそ）」

「（そう、わざと元気そうにしている）」

ポットさんはきこえなかったことにしました。でもこの六人が、ポットさんとトマトさんが元気がないと思ってやってきたらしいことはわかりました。

家にはいりながらギーコさんは、手にしたコーヒーのポットをさしあげて、もういっぽうの手でそれを指さしながら大きな声でいいました。

「ぼくたちにお茶をありがとう！　きみたちのぶんはここにある！」

ポットさんはぎょっとしました。こんなしゃべりかた、こんなしぐさをギーコさんがするなんて思えなかったからです。

スミレさんがいいました。

「あたしたち六人をみて、おどろいたでしょう？　ポットさん、トマトさん。これにはわけがあるの。あたしたちはミュージカル　スパイスいりのコーヒーを飲んだの。だからとってもミュージカルな気分なの」

「ミュージカル　スパイス？」

「ミュージカルな気分？」

ポットさんとトマトさんが同時にききかえして顔をみあわせ、目をそらしました。

「そう、ミュージカル　スパイスで、ミュージカルな気分」

スミレさんがそういうと、全員がうたいました。

「♪ミュージカル　スパイス
　ミュージカル　スパイス
　なんてすてき
　ミュージカル　スパイス」

あっけにとられているポットさんとトマトさんに、スミレさんが続けました。

「ドーモさんにきいたところによると、ポットさんとトマトさんはなんだか元気がないらしいっていうじゃないの」

ポットさんはちらっとドーモさんをみました。おしゃべりなやつだなというつもりだったのですが、なにをかんちがいしたのか、ドーモさんはにっこりとうなずきかえしました。

「そこであたしたちは、とくべつなコーヒーをもってきたわけ。このコーヒーを飲むと、歌をうたいたくなったり踊りをおどりたくなったり、おしゃべりしたくなったりするの。で、そうするとてもたのしくなるのね、あたしたちみたいに。あたしとギーコさんは、このシュガーとハニーにだまされて飲んでしまったの」

とつぜん歌になりました。

「♪だまされは　したけれど
しゃべってうたって　おどったら

なんだか気分が　よくなって
〝ほら　ちょいと　ラッキー？〟
こんなあたしもわるくない」
あとはもちろん六人の合唱です。
「♪ミュージカル　スパイス
ミュージカル　スパイス
なんてすてき
ミュージカル　スパイス」
「ほかの四人は自分から飲んだの。さあ、どうする？　ポットさん、トマトさん。飲みたくなければ、むりに飲むことはないのよ」
ポットさんは目をまるくしていました。まさかスミレさんがうたうなんてしんじられませんでした。
――ミュージカル　スパイスいりのコーヒー？　それを飲むとうたいたくなる？

おどりたくなる？　そんなことがあるわけないじゃないか。じゃあこのスミレさんは、いったい……　それからさっきのギーコさんはいったい……。

そこまで考えて、ポットさんは、はっと気がつきました。

――これはみんなお芝居なんだ。ドーモさんから話をきいて、ぼくとトマトさんを元気づけようと、いっしょうけんめい練習してやってきたんだ。そうだ。それにちがいない。

そう思うと、とてもコーヒーをことわることはできませんでした。

「ありがとう。もらうよ、そのコーヒー」

そういってトマトさんをみました。もしもことわったら、みんなの友情をむだにすることになります。だからトマトさんも飲んでくれればいいなと思ったのです。

「いただくわ」

トマトさんも、うなずきました。

いよいよお茶の時間がはじまりました。
長いテーブルのはしっこのいつもの場所にトマトさんがすわりました。そこだけに大きな椅子があるので、場所をかわれないのです。そのとなりにスミレさん、ギーコさん、そしてポットさんがすわりました。トマトさんのむかいにドーモさん、そしてふたご、ポットさんのむかいがスキッパーです。

ポットさんとトマトさんだけがコーヒー、ほかの六人は紅茶です。八人の目の前には飲みもののほかに、切り分けられたパウンドケーキが、それぞれのお皿にのっています。でも、だれもケーキには手をつけません。二人は気分が沈んでいるからで、六人はこれからどうなるか、わくわく、はらはらしているからです。八人はただコーヒーと紅茶をすすりました。

「ああ」ポットさんがいって、六人がはっとポットさんに注目しました。けれど、ポットさんは「おいしいコーヒーだ」と続けたので、六人は肩をおとしました。

ポットさんとしては、友情にこたえるためには、コーヒーを飲んだおかげで元気になったふりをしなければならないと思いました。

――元気になったふりはいつぐらいからすればいいんだろう。すこしくらいのふりはできるよな。でも、いくらミュージカル スパイスなんていったって、うたったりおどったりは、ちょいとむりだな。だいいちこちらは練習していないしな。

そんなことを考えながら、さしあたって、

「うん。なんだか元気がでてきたような気がするよ」

と、いってみました。

でもみんなはちらっとポットさんをみただけです。うそはばれているようでした。スキッパーたちにしてみれば、光も音楽もなしに元気がでてきたといわれても、あまりぴんとこなかったのです。

天井のほうから、拍手がきこえてきたような気がして、スキッパーはみあげました。ほかのひともみあげています。

「ああ、雨がふりだしたんだ」

ポットさんがぽつんといいました。ウニマルの雨の音とはずいぶんちがうな、とスキッパーは思いました。やさしい雨音が、湯わかしの家のなかにいっぱいになって、あたりはきゅうにうす暗くなりました。そのとき、ききめがやってきました。スキッパーの目には、何本かの光の線がどこからともなくふりそそいできて、ポットさんとトマトさんに集まり、ふたりが輝きだしたようにみえました。

「なんだ、これは？」

ポットさんがつぶやきました。トマトさんもまぶしそうに天井をみて、目をぱちぱちさせました。肩をおとして椅子に沈みこんでいたふたりの背がすっとのびました。そして音楽がきこえてきました。悲しい音楽でした。

「あの音楽はなあに？」

「これは、いったい……」

トマトさんとポットさんはそんなことをつぶやきながらも、光と前奏にひかれて、とまどいながら、おずおずとうたいはじめました。

トマトさん「♪森に雨がふるように　わたしの心はぬれていく
　　　　　　あのひとはもう　わたしを好きではないかもしれない」
ポットさん「♪森に雨がふるように　ぼくのきもちはぬれていく
　　　　　　あのひとはもう　ぼくを好きではないかもしれない」
トマトさん「♪ふたりですごした　なつかしい月日」
ポットさん「♪ふたりで話した　物語たち」
トマトさん「♪ふたりで歩いた　あの道この道」
ポットさん「♪ふたりでつくった　夢と思い出」
トマトさんとポットさん「♪もう帰らないかもしれない」

ふたりは椅子にすわったまま、うたいおわりました。六人は拍手しました。拍手しながらスキッパーは、たのしくなるとか元気になるとかいっておいて、こんな歌をうたわせるとよけいに気分が沈むんじゃないかと思いました。

トマトさんとポットさんは、悲しそうな表情のまま、拍手に頭をさげてこたえました。ふたりはふしぎな気分を味わっていました。悲しいきもちを悲しい歌でうたったのに、妙に満ち足りていたのです。ひとつの曲をふたりでうたいあげたからでしょうか。

「悲しいけれどきれいな曲だった」

「短いけれどすてきだった」

ふたごがちいさな声でいいあうのを無視して、スミレさんはトマトさんにたずねました。

「どうして、もう帰らないかもしれないなんていうの？」

トマトさんは胸の前で両手をあわせ、ふりそそぐ光に目をうるませながらいいました。

「きいてちょうだい。ポットさんはわたしのことなんてどうでもいいのよ。最近この森にやってきたひとがいるんじゃない？　香水をつけているひと。ポットさんはわたしにかくれて、そのひとのところへいってるんだわ。もどってきたときに匂うからわかるの」

　スキッパーの観察では、あきらかにポットさんはびくっとしました。そしてそっと自分の服の、肩のあたりの匂いさえかぎました。

「そりゃひどい！　ほんとにそんなことをしてるのかい？」

　ドーモさんがたずねると、ポットさんはさけびました。

「誤解もいいとこだ！」

　そしてまわりのひとをみていいました。

「このなかのだれかひとりでも、最近森にやってきた香水をつけているひとを、知ってるかい？」

「ぼくは知らないな」

　ギーコさんがこたえました。

「だろう？」

「それじゃあポットさん、ポットさんのほうは、いったいどうしてもう帰らないいっていうんだ？」

ギーコさんにたずねられて、ポットさんは光の下で大きなためいきをつきました。

「よくきいてくれた。トマトさんの頭のなかには、ぼくでないだれかがすんでいるんだ。トマトさんはそのひとのことばかりいうんだ。そのひとは散歩が好きで、釣りが好きで、料理が好きなんだ」

トマトさんが、あ、とちいさく口をあけたのを、スキッパーはみました。

「そのひとのこと、ずいぶんはっきりわかっているんだな」

ドーモさんがいいましたが、スミレさんは首をひねりました。

「そんなひと、知らないわね」

「そうでしょう？　そんなひとといないのよ」

ここではじめてポットさんが直接トマトさんにいいました。

「じゃあ、どうしてそんなひとの話をするんだい？」

トマトさんは、う、とつまりました。そしてそれにこたえるかわりに、たずねかえしました。

「じゃあポットさんの香水の匂いはどうしてついているの？」

ポットさんは、ぐ、とつまりました。

「おたがいに、いえないことがあるようだな」

ドーモさんが腕をくみました。

「いえないいんじゃなく……」

ポットさんとトマトさんが同時にそこまでいいました。ポットさんがだまると、トマトさんがあとを続けました。

「わたしの場合は、いえないというんじゃなく、いまはいわないほうがいいというか……」

「ぼくの場合だってそうだ。いまはいわないほうがいいって……」

ポットさんも続けました。スミレさんがふたりにたずねました。

「じゃあ、いつかは、わかることなの？」

「もちろん」

ふたりは声をそろえてこたえました。

「ふうん。いつかわかることなら、それはそれでいいじゃないの」

スミレさんがいうと、ギーコさんもうなずきました。

「そうそう。わかるときにわかれば、それでいい」

それからみんなだまってしまいました。どことなく「それでいい」とは思えないのですが、どういってよいかわからなかったのです。

はっと気がつけば、ふたごが、伴奏の音楽もなしに、ちいさな声で歌をうたっていました。たいくつになって、さっきトマトさんとポットさんが、うたった歌を思い出しながらうたっているのです。とぎれとぎれのささやき声の歌が、みんなの耳にきこえました。

「(♪…あのひとはもう　わたしを好きではないかもしれない…)」

「(♪…あのひとはもう　ぼくを好きではないかもしれない…)」

とつぜんトマトさんとポットさんが立ちあがって、ふたごは鼻歌をやめました。トマトさんとポットさんは、自分のきもちをたしかめるように、テーブルから離れ、部屋のはしとはしに歩いていきました。上からの光が、ふたりについていきます。

トマトさん「あのひとはもうわたしを好きではないかもしれない。そう思ったから、わたしはポットさんにほほえみかけることができなくなったんだわ」

ポットさん「あのひとはもうぼくを好きではないかもしれない。そう思ったから、ぼくはトマトさんをみつめることができなくなったんだ」

トマトさん「それはどういうことかしら」

ポットさん「それはどういうことだろう」

ふたごがとつぜんささやき声でわりこみました。ささやき声だったのですが、みんなにきこえてしまいました。

「(相手が自分のことを好きじゃないとしたら、かなしい)」

「(自分のほうは相手を好きなのに)」

「(そう！　こっちだけ好きなんて、不公平！)」
「(そう！　こっちだけ好きなんて、そん！)」
「(静かになさい！)」

スミレさんがにらみました。

トマトさん「そうだったのかもしれない」
ポットさん「そうだったのかもしれない」

そのとき、音楽がはじまりました。前奏が流れるなか、ふたりはひとりごとのようにつぶやきました。

トマトさん「ほほえみかえしてもらえないだろうと思ったから、ほほえみかけなかったのかもしれない」
ポットさん「みつめかえしてもらえることがわかっていたときだけ、みつめていた、ということかな」

歌になりました。ふたりは部屋のはしとはしで、うたいました。

トマトさん「♪どういうときに　ひとはほほえむのかしら」
ポットさん「♪どういうときに　だれかをみつめるのだろう」
トマトさん「♪ほほえみかえしてくれるときかしら」
ポットさん「♪みつめかえしてくれるときだろうか」
トマトさん「♪ほほえんでいたいなら　ほほえみかければいいはず」
ポットさん「♪みつめていたいなら　みつめていればいいはず」
トマトさん「♪わたしは　ほほえんでいたい」
ポットさん「♪ぼくは　みつめていたい」

トマトさん「♪ひとはどうして　だれかにほほえむのかしら」
ポットさん「♪ひとはどうして　だれかをみつめるのだろう」
トマトさん・ポットさん「♪ほほえむことの理由はひとつ
みつめることの理由はひとつ
それはあなたを　好きだから
みつめあって　ほほえみあって　生きていたい」

うたいおわるとトマトさんとポットさんは、部屋のはしとはしから、いまはじめてみつめあいました。そしてかすかにほほえみました。

「（おいおい、わけがわからんうちに話がまとまりそうになってきてるんじゃないかい）」
ドーモさんが思わずつぶやきました。
トマトさん「ポットさん、お話ししておきたいことがあるの」
ポットさん「いや、いまはいわないほうがいいと思っているんだったら……」
トマトさん「いっておきたいの」
音楽がはじまって、トマトさんの光が強くなりました。
トマトさん「♪ほんとはいいたくなかったけれど　いってしまおう　あのことを
ほんとはないしょのことだけど　いまこそ話そう　あのことを
それはいまからひと月まえ　わたしはこっそり考えた
あのひとのつぎの誕生日　びっくりさせるプレゼント
寒い冬の日机のしごと　あたたかそうなひざかけが
あのひとのきもちもあたためる　びっくりさせるプレゼント

そのひざかけには九まいの　布をきれいにぬいあわせ
それぞれの布に刺繡する　あのひとのお気にいりのものたちを」

そこからは話しことばになりました。
「そこでわたしは考えたの、ポットさんのお気にいりのものたちを。
『まず、なんといってもこの家だわ。湯わかしの家。（トマトさんは指を一本立てました）
それはじまんの家だから。
それからいつもつかってる枕。あれがないと眠れないもの。（二本）
そして午後のお茶のティーカップ。（三本）
ええっと、それからポットさんは、花の世話をしてきれいに咲かせるのが好きだから、愛用のスコップ。（四本）
それから、それから、雪の日などにかぶる毛糸の帽子。ほかにもあるのにあれしかかぶらないんだから。（五本）
あっ、そうだ、ウィスキーボンボン。ほんとにおいしそうに食べるんだわ。（六本。

というのはもうひとつの手も手伝ったのです）

ううんっと、あと……、ええっと、それから……、ええっと、ええっと、ううんっと……』

もっといっぱいあるはずなのに、思いつけなかったの。そこでわたしはポットさんからききだそうとしたんだわ。でも、好きなものはなに、なんてきくとあやしまれる。だって秘密のプレゼントだから。で、考えついたのは、こういうふうにつぶやくことなの。

『散歩が好きなひと……か』

ってね。もしもポットさんが散歩を好きだったら、『ぼくも好きだよ』っていうでしょ。そうやっていろいろいっていけば、なにが好きかさぐれるって思ったの。

『釣りが好きなひと……か』

『料理が好きなひと……か』

でもだめ。ポットさんはなにもいってくれないの」

ポットさん「そうだったのか！」

「（なんてつまらない話なんだ！）」

ドーモさんがつぶやきました。

「（でも、わからないのが）」

「（そう、香水のひと）」

ふたごがささやきあいました。

ポットさん「トマトさん、話しておきたいことがあるんだ」

トマトさん「でも、いわないほうがいいと思っているんだったら……」

ポットさん「いっておきたいんだ」

「（こんどはすごい話なんだろうな）」

ドーモさんが腕をくみました。

音楽がはじまって、光がポットさんを浮かびあがらせました。

ポットさん「**♪ほんとはいいたくなかったけれど　いってしまおう　あのことを**

ほんとはないしょのことだけど　いまこそ話そう　あのことを
それはいまからひと月まえ　ぼくはこっそり考えた
あのひとのつぎの誕生日　びっくりさせるプレゼント
森に咲く花数あるなかで　あのひとがいちばん好きな花
七色の花をつけるラン　その名もニジノシズクラン
もしもニジノシズクラン　ばかりが咲いてる花畑
つくることができたなら　びっくりさせるプレゼント」

ポットさんの歌は、うたうというよりも、トマトさんにかたりかけているようでした。こんなうたいかたもあったんだ、とスキッパーは思いました。

そのあと、話しことばになりました。

「それを思いついた日から、ぼくは森のあちこちを歩きまわった。ニジノシズクランをみつけるたびにそれをていねいに掘りおこし、ここの近くの、でもトマトさんはきっとひとりではいかないあたりに、植えかえていったんだ。植えかえたあとは

たっぷり水をやらなくてはいけない。ぼくはこっそり家を抜けだしては世話をしにいった。そうするうちに花が咲きだした。ニジノシズクランは花の咲いている期間が長いんだ。花が咲くといい香がただよった。トマトさんが香水だと思ったのは、ぼくについた花の香だったんだよ」

トマトさん「そうだったの！」

「なんてつまらない話なんだ！」

ドーモさんはこんどははっきりといいました。

トマトさんとポットさんは、歩みよりました。

ポットさん「ごめんよ」

トマトさん「わたしこそ、ごめんなさい。ポットさん、キスしてくれる？」

「そのまえに」とポットさんはいいました。「ぼくが好きなものをあと三ついっておくよ。この森と、友だちと、トマトさんだよ」

トマトさんがひざをつき、ポットさんとキスをしているあいだ、ほかの六人はふ

たりのほうはみないで、
おなじみの歌を、いままでとはちがう
しっとりとした静かなふしまわしでうたいました。
「♪ミュージカル スパイス ミュージカル スパイス
なんてすてき ミュージカル スパイス
ミュージカル スパイス ミュージカル スパイス
なんてすてき ミュージカル スパイス」
歌がおわると、というのはキスがおわると、
ということですが、ポットさんが、
いまはじめて気づいたようにいいました。
「あの、ミュージカル スパイスって、……ほんとうだったんだね！」
「ほんとうだとは思わないで、コーヒーを飲んだのかい？」
ドーモさんがあきれました。

「わたしもほんとうとは思わなかったわ。みんなが元気づけようとお芝居をしてくれてるって思ったの」

トマトさんのことばに、ポットさんが大きくうなずきました。

「ぼくもそうだよ。でも、ミュージカル スパイスって、いったいなんなんだ？」

出番だ、とスキッパーは思いました。

「それはね……」

カタカズラの説明をしました。

「なんてすてき！」

と、トマトさんがいいました。

「そう！〈なんてすてき〉なの！」

ふたごが声をそろえたとたん、すごい光と音楽がやってきました。いっぱいの光の点まで部屋のなかをまわっています。

陽気ではなやかな全員の大合唱になりました。

「♪な、ん、て、すてき、なんてすてき
なんてすてき　ミュージカル　スパイス
だれでもしってる　スパイスは
こしょうにシナモン、ガーリック
風味と香りで　ひきたてる
〝ほら　ちょいと　ひとふり〟
なんていいあじ　いいかおり」
音楽にあわせて全員がステップを踏みます。

「♪だれもしらない　スパイスは
ふしぎな草の実　カタカズラ
人生にぱらりと　かくしあじ
〃ほら　ちょいと　ひとふり〃
しんじられない　この気分
ミュージカル　スパイス
ミュージカル　スパイス
なんてすてき
ミュージカル　スパイス
………」
歌と踊りは、いつまでも続きました。

おなじ日に
おこった
もうひとつの話

鳥男(とりおとこ)とホタルギツネ

トワイエさんは、散歩にでかけていて、雨にあいました。きゅうに空がくもって、ふりだしたのです。雨になるだろうとは思わなかったので、雨具などありません。

とりあえず、あたりでいちばん葉の多そうな木の下に逃げこみました。すぐに森は雨の音でいっぱいになりました。

トワイエさんの肩や首すじに、木の葉がふせぎきれなかった雨水が、ぽとりぽとりと落ちてきます。

――もうすこしいい雨やどりの場所はないだろうか。

そう思ってまわりをみると、いいところがありました。倒れた大きな木が、大きな岩にささえられていて、橋のようになっています。その下なら、トワイエさんの背たけくらいの空間がありそうです。

トワイエさんは上着のえりを立て、首をすくめると、草でズボンをぬらさないようにひょいひょいはねるように走って、木の橋の下にもぐりこみました。思ったよりも広い場所でした。

木をささえる大きな岩のまわりには、ちいさな岩もいくつかころがっています。そのうちのすわりやすそうな岩に、腰をおろしてみました。

すわってまわりをながめると、なかなかいい雨やどりの場所だと思えてきました。頭の上の木の太さは、おとな三人でかかえられるかというぐらいはあります。ここにすわっていれば、もっと強い降りになってもだいじょうぶのようです。

——でも、ふり続いたら……。

トワイエさんは空をみあげました。木々のこずえごしにみえる空は、雲におおわれています。流れる雲は厚く暗いというほどではありませんが、すぐにとぎれるとも思えませんでした。

——夕方までふり続くようなら、湯わかしの家までぬれていって、雨具をかりることにしよう。

そう考えました。ここから十分ほど歩くとポットさんとトマトさんの家です。自分の家、木の上の屋根裏部屋までは、さらに十分ほどかかります。

森の雨の音がすこし大きくなって、雨足が強くなったように思えました。しめった緑の匂いが強くなります。頭の上の倒れた木の上にふった雨水が、太い幹にはりついた苔から、しずくになって規則正しく落ちます。しずくは下の草の同じ場所にあたって、葉をくりかえしゆらせます。それをぼんやりながめていたトワイエさんは、はっとふりかえりました。だれかがいるような感じがしたのです。

思わず腰を浮かせそうになりました。

いっぴきのキツネがいたのです。いつのまにやってきたのでしょう。雨をよけて太い幹の下にはいりこみ、やはりかわいたひらたい岩の上に、静かにうずくまっています。トワイエさんから、ほんの二、三歩はなれたあたりです。

トワイエさんはふうと息をはきだしました。

「びっくりしたなあ」

思わず声がでました。キツネはちらと、目だけでトワイエさんをみて、雨の森に視線（しせん）をもどしました。

　キツネなら、この森ではよくみかけます。でもたいていのキツネは、ひとの姿（すがた）をみるとどこかへいってしまいます。このキツネはよほど雨がきらいなのでしょうか。いっしょに雨（あま）やどりをして、逃（に）げようともしません。それどころかどうどうとしているようです。気（き）のせいか、いままでにみかけたキツネより大きいような気（き）がします。これは近（ちか）くでみるせいかもしれません。

　なぜそんな気分（きぶん）になったのか、トワイエさんは自分（じぶん）でもよくわかりませんが、キツネに話（はな）しかけていました。

「ああ、こんにちは」

　もちろんキツネは返事（へんじ）などしません。トワイエさんも、返事（へんじ）をしてもらおうと思って話（はな）しかけたわけではないのです。

「きゅうに、その、ふりだしましたね」

　キツネはじっと雨をみています。

「ぼくは、散歩していたところなんです。ええ。で、その、なぜ散歩を、ですね、していたかというと、ぼくは作家で、ん、物語を考えたりするんですけど、そう、作家というものは、その、ゆきづまるものなんです。うん、そういうときに散歩する。ええ、きょうも、そうなんです」

　トワイエさんのことばがとぎれると、森にふる雨の音がきこえました。キツネはじっと雨をみています。

「散歩をすると、気分がかわる、んん、そういうことが、ありますからね。ええ？　どうゆきづまっていたのか、ききたい？　そうですか？」

　トワイエさんがそういったとき、キツネは首をまわして、正面からトワイエさんをみました。おいおい、そんなこといってないぞ、というふうにみえて、トワイエさんはすこし笑ってしまいました。でも、ききたくってこちらをむいたのだということにしました。

「その物語の題名はきまっているんです。ええ、『鳥男』っていうんです。そう空を飛ぶ鳥の〈とり〉』

キツネがずっと正面からトワイエさんをみているので、トワイエさんはすこしはずかしくなって、雨にぬれる草などをみながら続けました。

「彼は、あるとき、自分がですね、そう、飛べるってことに、ええ、気づくんです。両腕をはばたいて。あ、いや、あなたの疑問はもっともです」

べつにキツネが首をかしげたわけではありませんが、トワイエさんはそういいました。

「なぜ人間が空を飛べたりするんだ、そんなはずはないだろ、そうおっしゃりたい、ええ、そうおっしゃりたい。ああ、そうなんです。ぼくも、そう思うんです。つまりその、この物語を考えているぼくにも、ですね、そこのところが、よくわからない。いったい、なぜ、この男が空を飛べるようになったのか、その理屈がわからない。それがわからない、ということが、ゆきづまってる理由なんじゃないかな、と、まあ、そう思ったりもしますね、ええ」

トワイエさんがちらりとみると、キツネはまだじっとこちらをみています。なんだか熱心にきいているようで、トワイエさんは続けました。

「物語のすじはだいたいできているんです。ええ。彼は飛べる。で、その、飛べるということで、まわりのひとから、変な目でみられるというか、あいつはかわったやつだ、自分たちとはちがうんだ、のけものになってもしかたがないんだ、というふうに、ですね、その、さびしいめにあうんです。

飛べるということでそんなめにあうんですが、ん、彼は飛ぶことが好きなんです。さびしさをまぎらわせるために、こっそり夜空を飛んでみたりする。

そんなふうにくらしていたんですけど、あるとき、とてもつらいことがあって、遠くへひっこすことになるんですね。で、そこでは、んん、その、飛べることをひとに知られないように、しよう、と。

彼はね、サーカスの下働きをはじめるんです。そこで、ですね、サーカスの看板スター、ブランコ乗りの少女に恋をするんです。あるとき少女は失敗して、高いブ

ランコから落ちてしまう。ああ、もうだめだ、地面にぶつかって死んでしまう、とみんなが目をつむったとき、彼がですね、ええ、そう、飛んでしまう。少女を助けるんです。

これがきっかけで、んん、彼はサーカスの新しいスターになってしまうんですね。少女とコンビを組んで、つまり、少女が落ちるのを助ける、というすじがきのだしものをする。ええ。まあ、その、しあわせな日々、というんでしょうか、ね。けれど、ですね、だんだん、少女は彼に心を閉ざしていくわけです。自分は努力してスターになった、それなのに、努力なしで飛べる男が、自分にとってかわってサーカスのスターになってしまった。気がつけば、自分は、その、彼のひきたて役になってしまっている、と、ね。許せない、と。

少女の心を知った彼は、サーカスを去る——」

そこでことばをきって、トワイエさんはキツネをみました。まだキツネはまっすぐトワイエさんに顔をむけています。

だまると雨の音だけになりました。

——おや？

トワイエさんは、めがねのレンズとレンズのあいだをおしあげました。キツネのしっぽが妙に明るいように思ったのです。どこかからそこに光がさしこんでいるのかと、ちょっとまわりをみまわしたほどです。もちろん雨の森に光のさしこむわけがありません。しっぽの毛なみのせいでしょうか。ふうっと光っているようにみえるのです。そのしっぽには、星の形をした草の実がくっついていました。

するとそのとき、ぶうんと羽の音をたて、まるで星形の実をめざして飛んできたように、いっぴきのコガネムシがキツネのしっぽにとまりました。キツネはちらと目を動かすと、首をのばしてぱくりとコガネムシを食べてしまいました。星形の実もなくなったところをみると、いっしょに食べてしまったようです。

トワイエさんはキツネが虫を食べるなんて知らなかったものですから、いままで自分の物語を話していたのもわすれて、キツネが口を動かして、ごくりと飲みこむまで、じっとみいってしまいました。

――コガネムシを食べたぞ。それもあたりまえみたいに食べましたよ。しっぽにとまる虫は食べるものだときめているみたいに。ぼくはあのしっぽにさわらないようにしよう。だって、さわったとたんにぱくっとやられたらかなわないものな。

そんなこわいことを考えているときに、キツネがビククッとからだじゅうをふるわせたので、トワイエさんは、また腰をあげそうになりました。

キツネはからだをむずむずさせました。そしてトワイエさんの顔を正面からみて、口のはしをぴくぴくさせました。目には、さっきよりも力がこめられているようにみえました。

コガネムシを食べる前までは、こちらをみていても、とくに表情といったものはありませんでした。ただこちらをみている、という感じでした。けれどいまは、はっきりトワイエさんを、なにかのきもちをこめてみているようなのです。

トワイエさんは、おちつきませんでした。そこで、

「ええっと、その……？」

と、いってみました。もちろんこのことばに意味はありません。なにかいったほうがいいような気がしただけです。けれどそれをきくとキツネは、もっとからだをもぞもぞさせ、口のはしをぴくぴくさせました。なにか興奮しているようです。気分を静めなければいけない、とトワイエさんは思いました。

「ああ、ええ、なかなか、雨はやみそうにも……」

キツネが全身の毛をさかだてたようにみえて、トワイエさんはだまりました。かわりにキツネがしゃべりました。

「鳥男はいったい、どうなったんだ！」

キツネがしゃべったあとで、キツネとトワイエさんは、みつめあいました。

「あ、あ、あ……」トワイエさんは、キツネを指さしました。「あなた、いま、その、しゃ、しゃべりましたね？　その人間のことば、ええ、人間のことばを」

「それがどうしたい。おれがたずねているのは、鳥男のことなんだよ！」

「しゃべってる！　しゃべってる！　人間のことばを、しゃべってる！」

「もういちどいうぜ。鳥男はどうなったんだ！」

「はっきりしゃべってる！　キツネが！」

「キツネはいいんだ。鳥男だ！」

「鳥男……？　なんです？　それ」

　キツネがしゃべる、そのことで頭のなかがいっぱいになっていたトワイエさんは、鳥男のことを一瞬わすれていました。

「なんですそれ、だって？　それじゃあんまりじゃないかトワイエさんよ」

「ト、ト、ト、ト、トワイエさん？　ど、どうしてぼくの、ぼくの名前を、名前を知っているんです？」

「おれはこのあたりにすんでいるやつの名前なら、たいてい知っているんだ。それというのも……、それというのもじゃない！　鳥男だ。サーカスを出てった鳥男はそのあとどうなるんだ？」

「サーカスを出てった……。ああ、ああ、その、ね。その鳥男のこと、ね。……鳥男のことよりも、あなたのことです！　ぼくは、ぼくはあなたのことが、知りたい！」

「……どんなことが！」

「ま、まず、どうして、どうしてそんなふうに、ひとのことばを、人間のことばを、しゃべることができるのか、ということです！」

「それが気になって鳥男のことなんて考えられないっていうんだな」

「そ、そうです」

キツネはトワイエさんをみてフンと鼻を鳴らしました。

「わかった。話してやるよ。どうしておれがひとのことばをしゃべることができるか。ひとことでかたがつく。いいかい。わからない」

「わからない？」

「そう、わからない。それでいいじゃないか、わからないことは、わからない」

「わからない？　だって、それじゃあ、あんまり……」

「トワイエさんよ。あんた、さっき、いったねえ。鳥男がなぜ空を飛べるのかわからないって。それはもうそれでいいんじゃないか。空を飛べたところで、だれに迷惑をかけるってもんでもないだろ。そりゃ自分だって、はじめは飛べるってことにおどろいたり、気にもしただろうけど、あとじゃ気にいって、こっそりとんだりしてるんだ。鳥男は飛べる、それでいいじゃないか。

それと同じなんだよ。おれはひとのことばをしゃべる。はじめはおどろいた。気にもしたさ。でも、なぜおれにこんなことができるのかはわからない。そういうことさ」

「とはいえ、いつ話せるようになったのか、どういうときから話せるようになったのかってことは……」

「……そういう話ならできなくもない」

「そ、そういう話をしてくださいませんか」トワイエさんはキツネのほうをむいて、岩にすわりなおしました。「お、おねがいします。ききたいんです」

キツネは空をみあげて目を細め、いちど首をかしげました。そしてなにかつぶやきました。「どうしておれはこんなに……」といったところまで、トワイエさんにはきこえました。

雨はあいかわらず、ふりつづいていました。

※

「そいつは十三年前、夏のはじめの、ある夜のことだった」キツネは話しはじめました。「おれはだれかにであったんだ。そいつは人間の女のかっこうをしていた。だけど、ありゃあ人間じゃあない。神さまか魔女かわからんが、とにかくすごい力をもったやつだったんだ。

おれのしっぽが光っているのがわかるかい？　暗くなればよくわかるんだが。そいつはおれのしっぽが光るようにした。そして、ことばをおれにくれたんだ」

「くれた？……おしえてくれたってこと、ですか？」

「いいや。くれたんだ。といっても、そのときはわからなかった。もう、むちゅうだったんだ。ただこわかった。おそろしかった。そいつから逃げだして、ひっしに走って、疲れきってばたりと倒れたってのが泉のふちだった。

——水だ。

おれはそう思った。なあ、トワイエさん。走りつかれて倒れたやつが水をみて『水だ』って思うのに、なんのふしぎも感じないだろ？」

「え？　ええ、そりゃ……まあ」

「それはあんたが人間だからさ。人間だから、水をみて『水だ』と思うのがふしぎじゃないんだ。おれはキツネだよ。

いや、キツネだって水は知っているんだ。けれど〈水〉ってことばは知らない。ものに名前なんてつけないんだ。水は〈のどがかわいていれば飲む、流れてりゃあ逃げるときに匂いを消してくれる〉って感じのものなんだ。ところがおれはそのとき『水だ』って思ったんだよ。思ってからおどろいた。

水だ？　水ってなんだ？　おれはおれにたずねた。おれはおれにこたえた。水はこいつの名前だ。え？　なんでおれがこいつの名前を知っているんだ？　いや、その名前ってなんだ？　名前はそのものをしめすことばだ。ええ？　なんでそんなことを知っているんだ？　ことばってなんだ？　知っているってなんだ？　なんだってなんだ……？

考えてもみてくれよ。おれにはそれまでことばってものがなかったんだ。それがとつぜん頭のなかに、ことばがいっぱいあふれてきたんだ。

——どうかしちまった！

と、おれは思った。水を飲めばもとのおれにもどるんじゃないか。おれは泉の冷たい水を舌ですくって飲んだ。

——ああ、うまい！

頭のなかに〈うまい〉ということばが浮かんだ。〈うまい〉だって？　またことば

だ！　それまでにも飲んだり食ったりして、うまいって感じはあった。でもその感じが〈うまい〉だったなんて知らなかったんだ。

ことばは、おれがなにかをするとついてきた。なにかをみても、それはことばにおきかわった。

目の前には〈草〉があった。〈土〉も〈石〉もあった。目をあげると〈木〉があった。〈枝〉〈葉〉〈空〉〈夜〉〈星〉……。気がつけば、おれは名前のついたものにかこまれていた。なにもかも、名前がついている！　なにもかもが、いままでとはちがってみえた。

おれはおどろいた。おびえた。混乱した。だが、混乱しながらも妙なことに気づいた。なんだかまわりのようすがいつもとちがう。まわりが明るい！　おれのしっぽが光ってるんだ！　するとおれは思い出した。ついさっき、おれは、あの神さまか魔女だかわからんすごい力をもったやつに、〈ホタルギツネ〉と呼ばれていたってことを。あとになってなんども考えてみたよ。なぜおれに光るしっぽとことばを

くれたんだろうって。また、どういうわけでしっぽが光り、どういうわけでとつぜんことばのわかるキツネになったんだろうって。でも、わからない。わからないことは、わからない。ホタルギツネはしっぽが光り、しゃべることができる。鳥男は飛ぶことができる」

トワイエさんはホタルギツネのふしぎな話にききいっていました。もっとホタルギツネのことを話してもらいたかったので、鳥男のほうに話がそれないでほしいと思いました。

「あの、それで、どうなりました？」

「それでどうなったかって？　トワイエさんよ。おれは思うんだけどな、鳥男は飛べるようになって、生活がかわったんだろうな。心のもちようと、くらしぶりがさ」

また鳥男のほうへ話がいきそうです。

「というのは、つまり、その、あなたがですね、ホタルギツネになって、あ、されて、か、心のもちようと、くらしぶりが、かわったってことですか」

トワイエさんは、話をホタルギツネの身の上にひきもどしました。

「あたりまえじゃないか。はじめの何日かはもう混乱するばかりだった。なんていうか、前足も後ろ足も地面につかないっていう感じだな。ふうっとしちまって。そしてつぎにはいやになってしまった」

「いやに、なった……」

「かなしくなった、さびしくなった、つらくなったんだよ。キツネってのはだいたいが夜行性さ。夜、出歩くんだよ。ところが夜はしっぽが光るときてる。友だちはみんなおれをさけたね。昼間なら光がわからないからいいかっていうと、これがだめなんだ」

「だめ……」

「ことばなんだ」

「あ、その、キツネなのに、人間のことばをしゃべってしまう、という……」

「そうじゃない。そんなことはしなかった。心のもちようがかわってしまうっていったろう。いいかい。キツネには人間のようなことばはない。けれどきもちを伝えるってことはあるんだ。〈やあ〉とか、〈おまえのこと好きだよ〉とか、〈むこうへいけよ〉とか、〈いらいらしてるんだ〉とか、な。そういうきもちは表情とかしぐさ、のどを鳴らす音とかで伝わるわけだ。ところがだ。いったんことばを知ってしまうと、〈おれはおまえのこと好きなんだけど、ちょっとむこうへいっておいてくれないか〉とか〈おまえのいらいらするきもちはわかるが、そのうなり声はやめてくれ〉とかこみいったことを思ってしまうんだ。そんなことは表情やのどの音では伝わらんだろ。思ったり考えたりしたことが、友だちや恋人に伝わらない。友だちや恋人は、伝わらないってことさえわかってくれない……」

　ホタルギツネがだまると、雨の音がきこえました。

　きゅうにホタルギツネは耳をぴくぴくっと動かしました。そして空をみあげてまぶしそうに目をほそめたあと、ゆっくり前足を立ててすわりなおしました。さっきも空をまぶしそうにみたことをトワイエさんは思い出しました。

「おれだって……、そう、ホタルギツネになるまえは、表情、しぐさ、のどの音だけでじゅうぶんやっていけたわけだ……」

そのしゃべりかたは、ひとことひとことに、いままで以上にきもちがこめられていました。それでいて、たかまってあふれてしまいそうな感情をけんめいにおさえているようでもありました。

——まさか泣きだすんじゃないだろうな。

トワイエさんは、すこしうろたえました。キツネは続けました。

「それだけで、しあわせだったんだ……」

トワイエさんは、口をあんぐりあけてしまいました。しゃべるキツネ、だけでもしんじられないというのに、このキツネときたら、うたいはじめたのですから。

「♪ことばしらぬあのころ
なにもかんがえず　いきてた
はらがへれば　えものつかまえ

ねむくなれば　ねむった
かわいいあのこに　であえば
ただそばによりそい
ふくかぜにひげをそよがせ
ただそこにいきてた
　キツネよ
のはらをかけゆくキツネよ
キツネよ
森の奥にひそんだキツネよ
とおい日のしあわせ
なつかしい月日よ
もうかえれないあの日
ことばしらぬあのころ」

うたいおわったホタルギツネとトワイエさんは、顔をみあわせました。正直なところトワイエさんは、キツネがうたうということにあきれかえっていたのですが、その歌に心を動かされてもいました。そこで、ひかえめな拍手を、心をこめてしました。ホタルギツネは、拍手に頭をさげました。

「ブラボー！　いや、その、歌をうたうなんて、ええ、いや、まったく、ぜんぜん、思いもしなかったですね、ええ、ええ」

　トワイエさんがそういうと、キツネはつぶやきました。

「おれだって、思わなかったな」

「思わなかったって、そのいつもうたっている歌を、うたったんじゃないんですか？」

「いま、うまれてはじめてうたったんだ」

「うまれてはじめて……。いまの歌を！　用意も、その、なしに！　あなた、天才です！」

　キツネは肩をすくめました。

「こりゃあ、なにかのまちがいなんだ。ふだんはこんなことはないんだ。ええっと、なんの話をしてたんだ？　そうだ。心のもちようとくらしぶりがかわったって話だ。つまりそういうふうにだ、ことばってものがおれの心のもちようとくらしぶりをかえたように、光るしっぽのほうもだ……」

光るしっぽのほうもだ、といったところで、ホタルギツネはしゃきっと姿勢が美しくなり、目がきらきら輝きました。そしてゆっくりと、うたいだしていました。うたいだすと、しだいにからだがゆれはじめました。

「♪しっぽ光らぬあのころ
　なにも思わず　いきてた
　夜がくれば　闇のなか
　銀のひとみ　光らせ
　あのこのにおい　おいかけ
　闇にからだすりよせ

耳をたて　音をさぐり
ただそこにいきてた
キツネよ
穴の闇にかくれたキツネよ
キツネよ
夜の奥にひそんだキツネよ
すぎた夜のしあわせ
なつかしい月日よ
もうかえれないあの夜
しっぽ光らぬあのころ」

トワイエさんは、こんどはもうえんりょしないで盛大に拍手をしました。ホタルギツネはおじぎをしながら、いいわけをするようにつぶやきました。

「うたうつもりはなかったんだけどなあ」

「いいじゃないですか、うたっても。それこそ、鳥男は空を飛べる、ホタルギツネは歌をうたえるってことで、ね」

「そうだ、鳥男だ！　おれはすっかりわすれていたぞ」

キツネは岩のうえですわりなおしました。

「さっきあんた、鳥男がさびしさをまぎらわせるために、こっそり空を飛ぶっていったろ。あれは、わかる。飛ぶせいでのけものにされたのに、鳥男は飛ぶことが好きなんだ。わかるな、おれは」

「と、いいますと……」

「おれだってそうさ。光るしっぽとことばになじんでくると、それがおれには、なくてはならないものになってきたんだ。夜、しっぽに集まる虫なんて食いながら、おれはことばで考えたり感じたりするんだよ。それがおれのたのしみになってしまったんだ」

「その、どんなことを、んん、考えるんでしょう」

「いろんなことさ。もっとうまいものを食うにはどうすればいいか、もっと安全に眠るにはどうすればいいかなんて、くらしについてのことから、なぜ風がふいても星は飛ばされていかないのかなんてどうでもいいようなこと、それから、もしもおれが人間の世界へでていったらどうなるか、キツネの世界にもどったらどうなるかなんて、おれについてのこと」

「そ、それは、どうなるんでしょう」

「人間の世界におれがいれば、おれはほかの人間とはちがうと思い、キツネの世界にいれば、ほかのキツネとはちがうって思うことになるんだ、きっと」

「そうでしょうか……」

「そう思うな。おれがほかのやつと同じだと思いたくっても、まわりがおれのことをちがうやつだと思ってしまうんだ。ほら、鳥男だってそうだよ。ブランコ乗りの少女が鳥男に心を閉ざしていくってていったかい？　その、心がはなれていくだろ。それ、おれにはよくわかるんだよ。

少女はいうだろ。鳥男が努力なしで飛べて、それでスターになったことが許せないって。あれはね、うそなんだ」

あの、それはぼくのつくった話なんですけど、とトワイエさんは思いましたが、だまってききました。

「ほんとうは、鳥男が自分たちとはちがうやつだったからさ。飛べるってことがなっとくできないんだよ」

ホタルギツネのことばには、妙に力がはいっていて、さびしそうでした。

雨が森にふる音がやさしく続いていました。

なんだかつらい時間を生きてきたようだなと、トワイエさんは前足の上にあごをおいたホタルギツネを、横目でみました。

「おれは、鳥男がそれからどうなったか気になるんだ。トワイエさんよ、サーカスを出ていった鳥男は、いったいどうなるんだ」

じつは、トワイエさんはそれからあとのことを考えてはいませんでした。というより、そこでゆきづまっていたのです。

「ああ、そのこと、ええ……」

トワイエさんが口ごもっていると、ホタルギツネがちいさくうなずきました。

「おれに気をつかって、口にだしにくいってわけだ。いいんだよ、きかなくっても
わかってる。鳥男はひとりぼっちになるんだ。人間でもなければキツネでもないホ
タルギツネがひとりぼっちで生きているように。人間でも鳥でもない鳥男は、ひと
りぼっちでしか生きられないはずだからな。そうだろ」

「いえ、そんなことはありません！」

トワイエさんは、思わず強くいってしまいました。

「わかりあえる相手がですね、いるんです！　その、かならず、いるんです！」

ホタルギツネは、トワイエさんの顔をじっとみました。

「そりゃ、おれを元気づけようと、そんなことをいってるんだろ」

トワイエさんは、ホタルギツネのことばをきかなかったふりをして続けました。

「鳥男がサーカスを出ていくのは、わかりあえる相手をさがしに、ええ、出会うために、出ていくんです」

「……出会えるのかい？」

「出会えます」

「鳥男がわかりあえる相手っていうと、べつの鳥男か鳥女かい？」

「そうかもしれません。でも、ああ、おそらく、そうではないでしょう」

「そうでないとすると、魚女とかもぐらじいさんとか、特別なやつかい？」

「そうかもしれませんが、んん、そうでないかも、ええ、しれません」

「そうでないかも……？　おいおい、鳥男ってのは特別なやつなんだぜ。その鳥男とわかりあえるやつってのはやっぱり……」

「そこが、その、ちがうと、ぼくは思うんです」ホタルギツネをさえぎってトワイエさんが話すのは、はじめてのことでした。「ホタルギツネさん、あなたはさっき、その、サーカスのブランコ乗りの少女のことをこういいましたね。鳥男が自分たちとはちがうひとだから心がはなれた、鳥男が、その、飛べるということを、なっとくできなかった、と。ぼくはそれをきいてですね、なるほどと、ええ、思いました。けれどぼくはこうも思うんです。別のサーカスの別のブランコ乗りの少女は、鳥男が飛べることを、ですね、なっとくできるかもしれない、と。いや、もっというと、ですね、鳥男が飛べても、飛べなくっても、鳥男のことを好きだ、わかりあえる、というひとが、あらわれると思うんです。ブランコ乗りでなくってもいい。んん、花屋さんかも、ええ、しれませんし、その、灯台守かも、しれないです。空を飛べるってほど特別でなくて、ええ、いいんです。鳥男を好きになれる、鳥男とわかりあえるってことが特別なんです。そのことだけで、ええ、ええ、じゅうぶんなんです」

「……鳥男とわかりあえるくらい特別、ね」ホタルギツネは疑わしそうにトワイエさんをみました。「そんなやつが、あらわれるかね」

「じっと待ってちゃあらわれません。ええ。だから、さがしにいくんです」

「さがしに、ね」

「ただうろうろしてるだけじゃ、んん、だめです」

「どうするんだ」

「呼ぶんです」

「呼ぶ？」

「『お――い』って」

「『お――い』って呼びながら、さがしまわるってのかい」

「あ、いや、その、口にだしてってことじゃなく……」

「口にださない……？」

「そうです。……ええ、その、ことばじゃなく、すべての感覚で呼ぶんです。目で、呼ぶ、……そう、足の裏で呼ぶ、背中で呼ぶ、もう、からだじゅうで呼ぶんです」

「からだじゅうで呼ぶ……な……」

「それから、ほかのひとが、その呼びかえしてくるのを、ええ、きかなければなりません。それだって、全身で、すべての感覚で、からだじゅうで、きくんです」

「からだじゅうで……な」

といったホタルギツネの耳がぴくっと動き、きちんとすわりなおしました。「また、きやがった」とつぶやいたようでした。歌がはじまりました。

「♪呼びかける声が　森を抜けていく
きっとどこかに　ききつけるだれか
呼びかける声が　時を超えていく
きっといつの日か　ききつけるだれか
たとえ闇のなかに　呼び声が
ふっと消えても　おそれずに

呼びかえす声が　森を抜けてくる
きっとどこかに　呼びかえすだれか

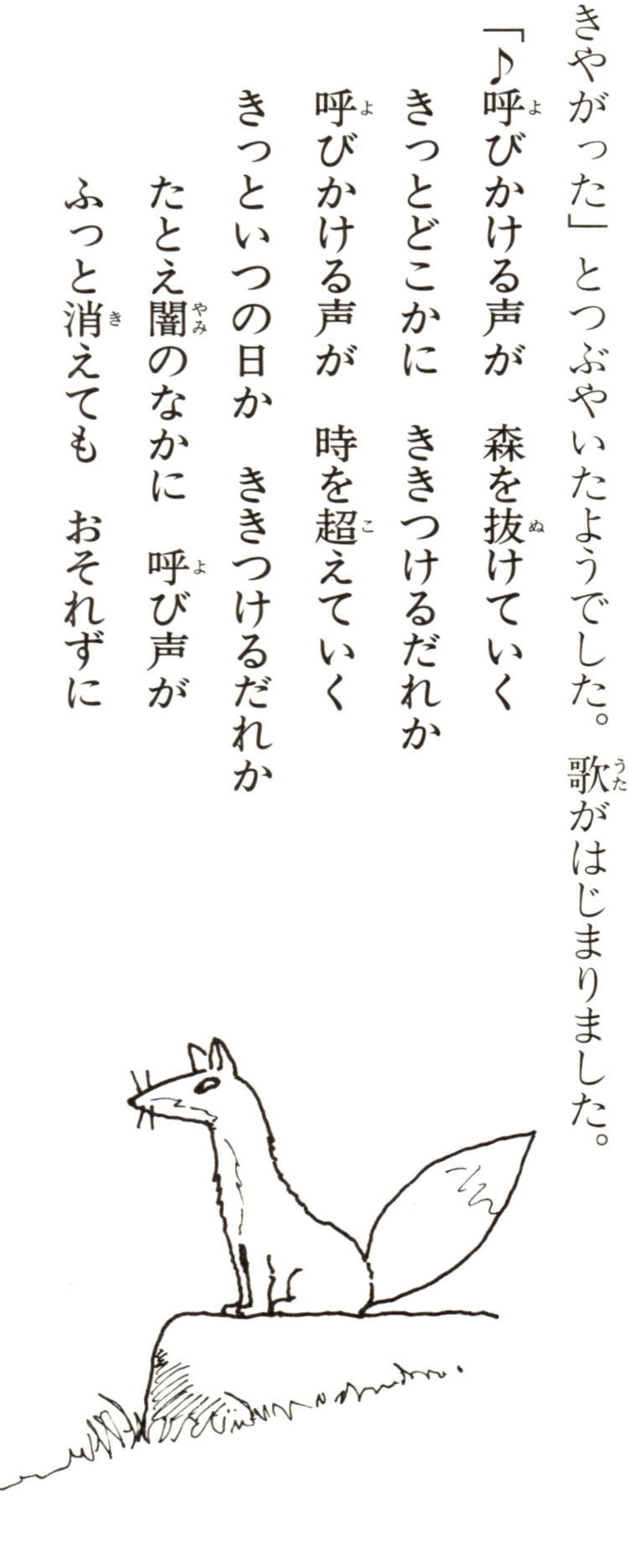

呼びかえす声が　時を超えてくる
きっといつの日か　呼びかえすだれか
いつか光の森に　こだまする
呼びかわす声が　ひびく日がくる
いつか光の森に　こだまする
呼びかわす声が　ひびく日がくる」

歌がおわっても、トワイエさんはしばらくじっとしていました。それから、おもいきり拍手しました。キツネは拍手にこたえてからトワイエさんをみあげました。

「ほんとに、うたおうなんて思わないんだけどな……」

いつのまにか雨は弱まり、もうすぐやみそうです。

ホタルギツネは、どうでもいいことのようにたずねました。

「で……、その話のなかで、鳥男は、わかりあえるやつに、出会えるのかい？」

トワイエさんは、まっすぐにホタルギツネをみて、こたえました。

「出会えます」

それをきくと、キツネはしばらくだまってトワイエさんの顔をみていました。が、
ふっと息をはきだしていいました。

「そいつは、よかった」

トワイエさんも、よかったと思いました。

※

雨はほとんどあがり、木の高いところに残ったしずくが低い葉に、ぱつ、ぽつぱつ、ぱつと落ちる音だけになっていました。

「それにしても、おれはどうしてこんなにぺらぺらとしゃべったんだろう。なんか悪いものでも食ったのかもしれん。

トワイエさんよ、つぎに会っても、おれはしゃべらんかもしれんが、気にせんでくれよ。きょうは特別の日だったんだ。きっと、な。

あ、それから、もしもできたら、しっぽが光ってしゃべるキツネに出会ったなんて、あまりひとにいってほしくないんだ。おれはサーカスのスターにゃなりたくないんでな。まちがってても、歌をうたったなんて、ひとにはいうなよな」

「ええ、だいじょうぶ」

トワイエさんはうなずきました。

ホタルギツネは立ちあがって、ぶるっとからだをふるわせると、大きな木の下からでました。トワイエさんも、外に出ました。

ホタルギツネは、トワイエさんの家とは反対方向にむかって、何歩か歩いたところで止まると、ふりかえりました。

「トワイエさんよ」

「なんでしょう」

「ありがとう」

それだけいうと、くるりとむこうをむき、歩きだし、もうふりかえりませんでした。

じっとみおくっているうちに、トワイエさんは鳥男の話が書けそうな気分になっていることに気づきました。そこで、もうキツネの姿のみえない森にむかってさけびました。

「ぼくのほうこそ、ありがとう！」

その日の帰りみち

もう夕方です。

トワイエさんは、森のなかから、湯わかしの家とウニマルをつなぐ小道に出ました。すこし歩いただけで、くつとズボンのすそがぬれました。

湯わかしの家のほうへ歩いていると、むこうからスキッパーがやってきました。おどろいたのは、スキッパーが鼻歌をうたっているということです。

「やあ」

トワイエさんが手をふると、スキッパーがにっこり笑いかえしました。これも意外でした。よほどいいことでもあったのでしょう。

「きょうは、その、どんな一日でしたか？　スキッパーは」

歩みよりながら、トワイエさんはたずねました。

「おしゃべりと歌の一日でした」

間をおかずに、スキッパーがこたえました。

トワイエさんはふたつのことでびっくりしました。スキッパーがすっとこたえたことと、スキッパーのいったことです。思わずたちどまりました。

「ああ、これは、その、おどろきましたね。いや、ぼくも、おしゃべりと、歌の、そう、一日だったんですよ」

スキッパーもたちどまりました。そして首をひねりました。というのは、ついさっきまで、この森にすんでいるトワイエさん以外のひとは、みんなスキッパーといっしょにいたのですから。

「だれとおしゃべりしてたんですか？」

スキッパーがたずねたところで、トワイエさんは、ホタルギツネとの約束を思い出しました。

「ああ、その、ええ、つまり……そう、雨の森、ええ、雨の森とおしゃべりや歌を、ええ……」

なんだ、そうか、とスキッパーはうなずきました。

「じゃあ」

トワイエさんが手をあげると、スキッパーは軽くおじぎをして、ふたりは反対のほうへ歩きだしました。トワイエさんがふりむくと、スキッパーがとびはねて、両足のかかとをあわせるところでした。

トワイエさんは、いちど首をかしげてから、いそぎ足で、家にむかって歩きだしました。

【つけたし1】

ウニマルにもどったスキッパーが、バーバさんの手紙をみて、やっと思い出したことがあります。標本箱をギーコさんにお願いするのをわすれていたのです。

そこでつぎの日、もういちどガラスびんの家へいって、ギーコさんにたのみました。

「よしきた。おやすいごよう。ギーコさんにまかせなさい」

と、ギーコさんはにっこり笑いました。まだミュージカルな気分が続いているようでした。いつもならだまってうなずくだけなのですから。

【つけたし2】

それから何日かたって、ミュージカルの気分がすっかり消えたあと、スミレさんは湖のふたごの家にやってきました。そしてふたごに、こんこんと説教をしたあと、ガラスびんの家までつれてきて、だましたことと、のぞいたことのつぐないをさせました。大きな窓のガラスをぴかぴかにみがきあげさせたのです。ふたごは、こんなにみがいたらのぞきやすくなるなと思いましたが、だまっていました。

【つけたし3】

ふたごは、カタカズラの実をたくさんあつめてとっておきました。いつかまたいたずらでつかってやろうと思っていたからです。

研究を終えてシアター島からもどってきたバーバさんは、ミュージカル　スパイスのききめに期限があることを、スキッパーに話しました。

ひと月で、スパイスのふしぎなききめがなくなるというのです。

「つまらないね」とスキッパーがいうと、バーバさんはいやいやと首をふりました。

「めったに実がならない。ミュージカルのききめがなくなる。このことが、ひと月の祭りをいよいよすばらしくしているんだよ」

そんなものかなと、スキッパーは思いました。

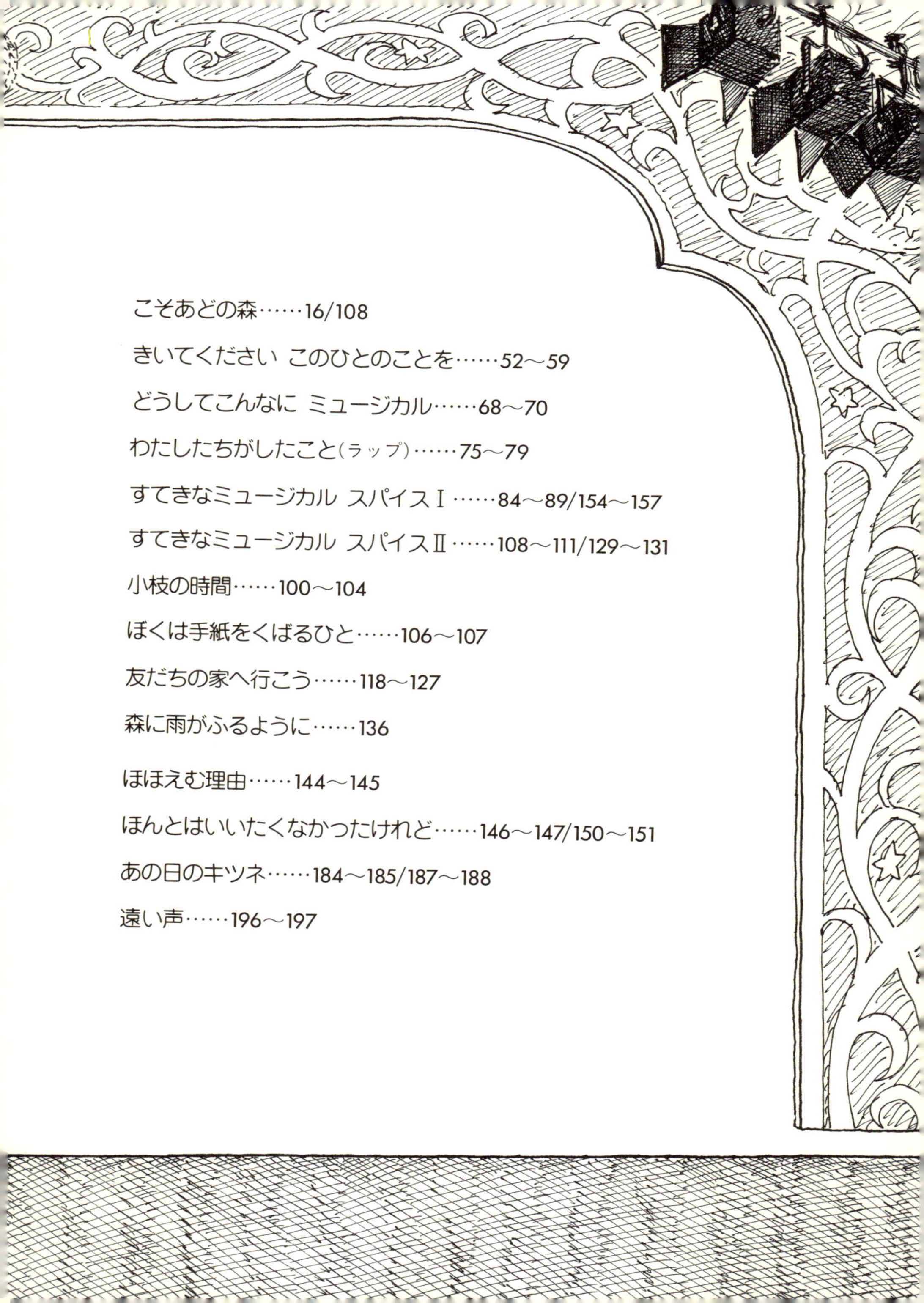

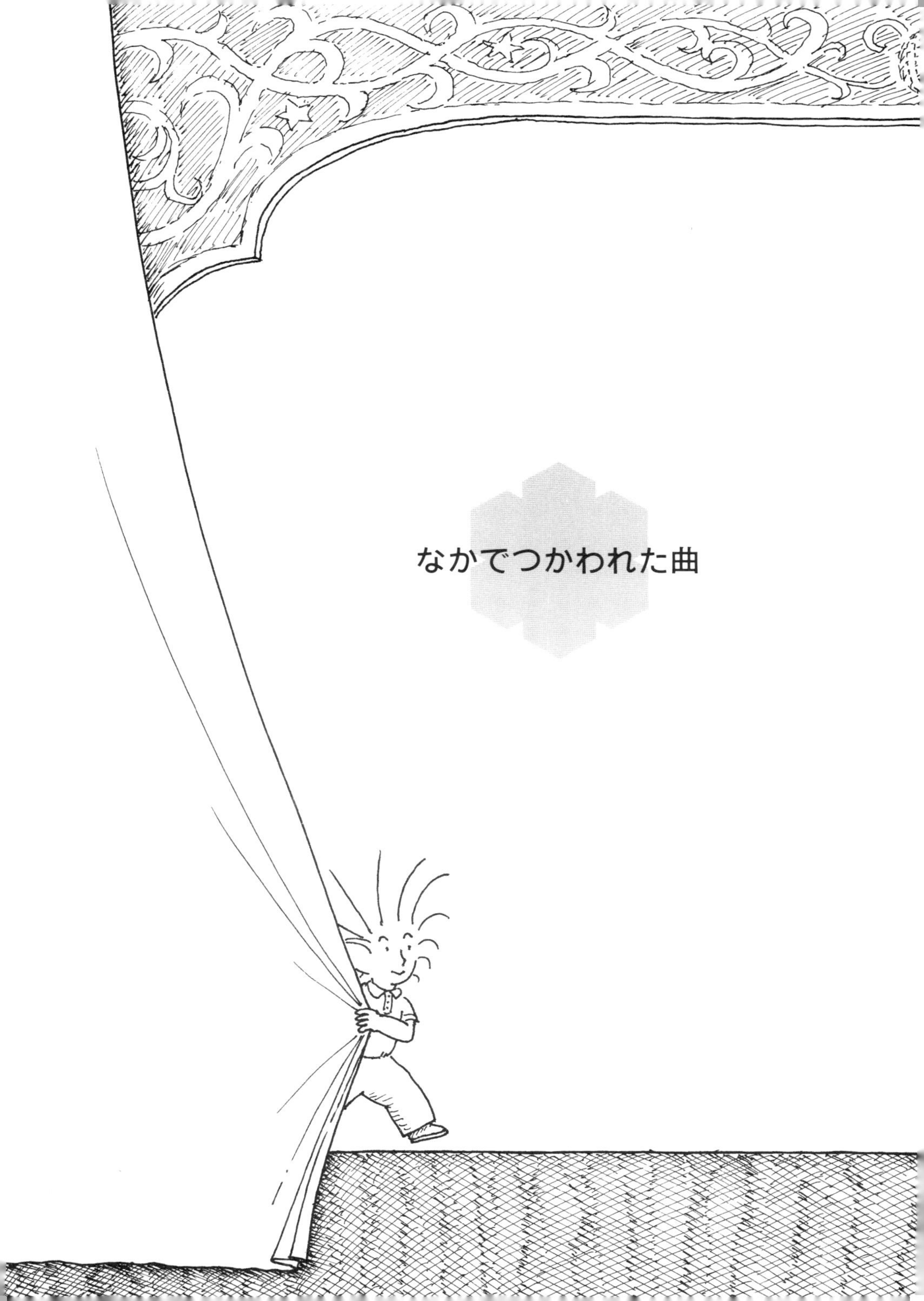

なかでつかわれた曲

岡田 淳（おかだ・じゅん）
1947年兵庫県に生まれる。神戸大学教育学部美術科を卒業後、
38年間小学校の図工教師をつとめる。
1979年『ムンジャクンジュは毛虫じゃない』で作家デビュー。
その後、『放課後の時間割』（1981年日本児童文学者協会新人賞）
『雨やどりはすべり台の下で』（1984年産経児童出版文化賞）
『学校ウサギをつかまえろ』（1987年日本児童文学者協会賞）
『扉のむこうの物語』（1988年赤い鳥文学賞）
『星モグラサンジの伝説』（1991年産経児童出版文化賞推薦）
『こそあどの森の物語』（1～3の3作品で1995年野間児童文芸賞、
1998年国際アンデルセン賞オナーリスト選定）
『願いのかなうまがり角』（2013年産経児童出版文化賞フジテレビ賞）
など数多くの受賞作を生みだしている。
他に『ようこそ、おまけの時間に』『二分間の冒険』『びりっかすの神さま』『選ばなかった冒険』『竜退治の騎士になる方法』『きかせたがりやの魔女』『森の石と空飛ぶ船』、絵本『ネコとクラリネットふき』『ヤマダさんの庭』、マンガ集『プロフェッサーPの研究室』『人類やりなおし装置』、エッセイ集『図工準備室の窓から』などがある。

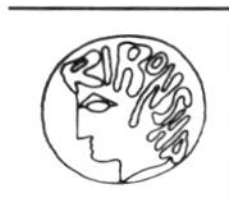

こそあどの森の物語⑤
ミュージカル スパイス

NDC913
A5判 22cm 208p
1999年12月 初版
ISBN4-652-00615-2

作者 岡田 淳
発行者 内田克幸
発行所 株式会社 理論社
〒101-0062 東京都千代田区神田駿河台2-5
電話 営業 03-6264-8890
編集 03-6264-8891
URL https://www.rironsha.com

2022年6月第22刷発行

装幀 はた こうしろう
編集 松田素子

岡田　淳の本

「こそあどの森の物語」

●野間児童文芸賞
●国際アンデルセン賞オナーリスト

〜どこにあるかわからない“こそあどの森”は、かわったひとたちが住むふしぎな森〜

①ふしぎな木の実の料理法
スキッパーのもとに届いた固い固い“ポアポア”の実。その料理法は…。

②まよなかの魔女の秘密
あらしのよく朝、スキッパーは森のおくで珍種のフクロウをつかまえました。

③森のなかの海賊船
むかし、こそあどの森に海賊がいた？　かくされた宝の見つけかたは…。

④ユメミザクラの木の下で
スキッパーが森で会った友だちが、あそぶうちにいなくなってしまいました。

⑤ミュージカルスパイス
伝説の草カタカズラ。それをのんだ人はみな陽気に歌いはじめるのです…。

⑥はじまりの樹の神話
ふしぎなキツネに導かれ少女を助けたスキッパー。森に太古の時間がきます…。

⑦だれかののぞむもの
こそあどの人たちに、バーバさんから「フー」についての手紙が届きました。

⑧ぬまばあさんのうた
湖の対岸のなぞの光。確かめに行ったスキッパーとふたごが見つけたものは？

⑨あかりの木の魔法
こそあどの湖に怪獣を探しにやって来た学者のイツカ。相棒はカワウソ…？

⑩霧の森となぞの声
ふしぎな歌声に導かれ森の奥へ。声にひきこまれ穴に落ちたスキッパー…。

⑪水の精とふしぎなカヌー
るすの部屋にだれかいる…？　川を流れて来た小さなカヌーの持ち主は…？

⑫水の森の秘密
森じゅうが水びたしに……原因を調べに行ったスキッパーたちが会ったのは…？

Another Story
こそあどの森のおとなたちが子どもだったころ
みんなどんな子どもだったんだろう？　５人のおとなそれぞれが語る５つの話。

扉のむこうの物語　●赤い鳥文学賞
学校の倉庫から行也が迷いこんだ世界は空間も時間もねじれていた…。

星モグラ　サンジの伝説　●産経児童出版文化賞推薦
人間のことばをしゃべるモグラが語る、空をとび水にもぐる英雄サンジの物語。